はじめに

はじめまして、オードリー・タンです。現在は台湾の行政院（日本でいえば内閣）の閣僚のひとりである、デジタル担当の政務委員を務めています。

今年、世界中に感染が広がった新型コロナウイルス（ＣＯＶＩＤ－19）は、色々な意味で人類の歴史に残る出来事だったと思います。もちろん、まだ現在進行中の話であり、今後の状況は予断を許しませんが、世界中の人々にとって、「２０２０年」という年は生涯忘れることのない年になったと思います。

私は、行政院の閣僚として、台湾における新型コロナの感染拡大防止対策の一端を担いました。幸いにも台湾はごく少数の感染者および死者に留まり、その取り組みが世界から注目を集めることになりました。

私自身、政務委員としての仕事をこなす傍ら、ほとんど毎日のように国内だけでなく、海外のメディアからインタビューを受けたり、オンラインシンポジウムなどのイベントに招かれ、台湾の取り組みを世界とシェアするのに忙しい毎日を送っています。そのなかには、ＩＱ（知能指数）やトランスジェンダー、中学校中退という学歴など、私自身のパーソナルなことに関する質問もたくさんあります。

人と話すのは好きなので、取材やインタビュー、イベントなどへの登壇は、私がつける唯一の条件「インタビューやスピーチの内容をインターネットで公開すること」を主催者が受け入れて下されば、時間が許す限り、受けることにしています。その一方、いつも同じような質問を受けることに対し、少々困惑することもありました。

そんな折、日本の出版社から「書籍を出しませんか」という提案を受け、これまで自分が発信してきた新型コロナウイルス対策に関する情報や、デジタルやＡＩなどのテクノロジーに対する自分自身の考えをまとめる良い機会と考えたのです。

本書は、８歳でプログラミングの独習を始めて以来、今まで約30年間にわたり、デジタルの世界に関わってきた私が、テクノロジーが世の中をどのように変えるのか、また人間はテクノロジーに対して、どのように向き合って活用していけばいいのかについて、私なりの考えを述べたものです。

デジタルが社会に浸透していくことに対し、便利になったことを評価する一方、テクノロジーの進化についていくことができずに取り残されたり、仕事を奪われたりすることを危惧する声があります。あるいは個人情報が一部の企業や国家に蓄積されることについて嫌悪感を抱く人も増えています。

しかし、本書で詳しく述べますが、デジタルはあくまでも道具にすぎず、その成否を握るカギは活用する側にあることは言うまでもありません。

そしてなによりも、デジタルは国境や権威というものを超えて、様々な人々の意見を広く集めることに優れています。決して恐れるべきものではありません。

本書では、このような発想を育んできた私のバックボーンとして、私自身の生い立ちや現在にいたる歩みも、必要に応じて盛り込んでいます。

本書が新しい時代を生きるみなさんの何らかの参考となれば幸いです。

2020年11月吉日

オードリー・タン

はじめに …… 1

序章
信頼をデジタルでつないだ台湾のコロナ対策 …… 13

SARSの経験を活かした台湾のコロナ感染拡大防止策 …… 14
正しい知識を身につけ、一人ひとりがイノベーションを図る …… 16
コロナ対策の重要テーマとなったマスク問題をいかに解決したか …… 19
官民の連携によって生まれたマスクマップ …… 23
政府と民間の信頼関係の象徴となった全民保険制度 …… 26

第一章 AIが開く新しい社会

——デジタルを活用してより良い人間社会を作る …… 29
デジタル技術は社会の方向性を変えるものでは決してない …… 30
台湾が5Gの導入を地方から行っている理由 …… 32
人間がAIに使われるという心配は、杞憂に過ぎない …… 36
AIはあくまでも人間を補助するツールである …… 39
AIは人類がどういう方向に進みたいのかを問いかけている …… 41
結論までのプロセスを説明できないディープラーニング …… 45
ディープラーニングをどう社会に位置づけるかを考える …… 50
競争原理を捨てて、公共の価値を生み出すことを求める …… 53
AIと人間の関係は、ドラえもんとのび太のようなもの …… 56
デジタルが高齢者に使いにくいのなら、使いやすいように改良すればいい …… 59

他人の話を聞くことによって新たな視点が獲得できる……61
年齢の壁を越えて若者と高齢者が共同でクリエイトする「青銀共創」……64
デジタル社会の発展にはインクルージョンの力が欠かせない……67
AIの活用によって、誰もが心にゆとりを持てる社会を作る……69

第二章 公益の実現を目指して

——私を作ってきたもの……73
私の家族、そして日本との関わり……74
両親から学んだクリティカルシンキングとクリエイティブシンキング……77
すべての始まりとなった「プロジェクト・グーテンベルク」との出会い……81
十四歳で学校を離れ、ネットで自主学習を始める……84

AI推論とウィトゲンシュタインの哲学 88
十五歳で起業、十八歳でアメリカに渡る 91
三十三歳でビジネスから引退し、Siriの開発に参画する 93
柄谷行人の「交換モデルX」から受けた大きな影響 95
デジタル空間とは「未来のあらゆる可能性を考えるための実験場所」 100

第三章 デジタル民主主義
——国と国民が双方向で議論できる環境を整える

——国と国民が双方向で議論できる環境を整える 105
初めて政治と関わることになった「ひまわり学生運動」 106
権力に縛られない「保守的なアナーキスト」という私の立場 110
史上初の女性総統となった蔡英文と台湾政治の先進性 114

自分が何をしたいかではなく、人々が何を望んでいるかを考える …… 117
〝For the people〟から〝With the people〟へ …… 119
台湾の国際貢献と「新台湾人」の基礎を作った李登輝氏 …… 121
初めて参加した選挙で実感した一票の重さ …… 124
デジタル担当政務委員就任のオファーと受諾した理由 …… 125
デジタル技術を活用して、複数の部会にまたがる問題を解決する …… 127
インターネットは少数者の声をすくい上げる重要なツール …… 129
見えにくい問題を顕在化し、解決に導くために創設したPDISとPO …… 132
話を傾聴して共通の価値観や解決策を見出していく …… 135
PO（開放政府連絡人）は、専門性と独立性を持ったプロ集団 …… 138
デジタル民主主義に潜む危険性はアナログ時代から続いている …… 141
民主主義は一人ひとりの貢献によって前進していく …… 144
インタラクティブによって実現したインターネットの平等 …… 146
「みんなのことを、みんなで助け合う」精神で社会を変革する …… 149

第四章
ソーシャル・イノベーション——一人も置き去りにしない社会改革を実現する 153

境界を取り払うことから始まるオープン・ガバメント 154
共通の価値を発見し、イノベーションにつなげていく 158
マイノリティに属しているからこそ、提案できることがある 161
時代の経過とともに自然と片づく問題もある——同性婚問題を解消した智恵 165
どこが不足しているかを考え、快適になる部分から変えていく 167
「公僕の中の公僕になる」——社会の知恵が私の仕事を作る 169
AIを使った社会問題の解決を競う「総統杯ハッカソン」 171
人間社会を良くする「補助的知能」としてAIを活用する 173
「・」で連結することによって起こるイノベーション 177
インクルージョンや寛容の精神は、イノベーションの基礎になる 180

三つのキーワード「持続可能な発展」「イノベーション」「インクルージョン」……183
未来をモデル化し、複数の方式を試行する……187
積極的なデジタル化の促進でDXを高めている台湾の中小企業……189
イノベーションを進めるほど、仕事はクリエイティブになる……192

第五章 プログラミング思考

――デジタル時代に役立つ「素養」を身につける……197
都市と地方との教育格差を是正する「デジタル学習パートナー」……198
オンライン授業の利便性と可能性……201
大切なのは、子どもの関心がどこにあるかを大人が理解すること……203
興味や関心が見つからないのに大学に進学しても意味はない……205

様々な学習ツールを利用して学ぶ、生涯にわたる「学習能力」が重要になる …… 208
デジタルに関する「スキル」よりも「素養」を重視する …… 210
八歳のときに分数の概念を教えるプログラムを書く …… 214
社会的な問題を解決する基礎となるコンピュータ思考 …… 217
デジタル社会で求められる三つの素養――「自発性」「相互理解」「共好」 …… 219
スマホで使える辞典作りから始まった「萌典」プロジェクト …… 222
STEAM＋D教育の根幹となるサイエンス（S）とテクノロジー（T） …… 227
科学技術では解決できない問題に対処するために美意識を養う …… 230
普遍的価値を見つけるために異なる考え方をする人たちと交わる …… 234

終章　日本へのメッセージ

——日本と台湾の未来のために……237
「共同の経験」で結ばれた日本と台湾……238
日本の「RESAS」（地域経済分析システム）から学んだこと……241
デジタル化成功の鍵は、デジタルネイティブ世代が握っている……244

おわりに……250

序章

信頼をデジタルでつないだ台湾のコロナ対策

SARSの経験を活かした台湾のコロナ感染拡大防止策

台湾は今年（2020年）、全世界に感染が広がった新型コロナウイルス（COVID－19）の封じ込めにいち早く成功しました。これは蔡英文総統が語っているように、「医療専門家や政府、民間、社会全体の努力」が合わさった結果です。

台湾では、ウイルスの正体が明らかになる前から、水際での感染拡大防止に全力を傾けました。具体的には、一月二〇日にいち早く衛生福利部（日本でいえば厚生労働省）の下に「中央感染症指揮センター（Central Epidemic Command Center、略称CECC）」を設立し、各部会（日本でいえば省庁）が連携して防疫対策に臨む態勢を構築しました。

そして、一月二一日に武漢から帰国した台湾人女性の感染が確認されると、翌日には武漢からの団体観光客の入国許可を取り消し、二四日には中国本土からのすべての団体観光客の入国を禁止しました。同時にスマートフォンを活用して、感染経路の確認および感染者と接触した可能性のある人たちを割り出し、全員に警告メールを送りました。さらに、民間企業にマスクの増産を要請し、それをすべて政府が買い上げて、すべての人々に行き渡るような策を練りました。

こうした素早い対応で感染拡大を防いだ結果、台湾では他国で行われたようなロックダウン（都市封鎖）や学校の休校、飲食店の強制休業などを行う必要はありませんでした。ロックダウンは確かに封じ込めに効果を発揮しますが、経済面の代償を払わなくてはなりません。「新型コロナウイルスの蔓延（まんえん）」という危機的な状況の中でも、社会そのものの繁栄に考えをめぐらせなければなりませんし、その一方で防疫対策も行わなくてはならないのです。「社会の繁栄」と「防疫対策」を両立させることに成功したのは、台湾に健全な民主主義体制が根づいている証拠だと思います。

台湾は日常生活を維持しながら防疫に成功し、その結果として、コロナの逆境下にあっても、ＧＤＰのプラス成長を実現しました。経済、民主主義、人権のどれをとっても、大きな損失は受けていません。そして、その後、「台湾は手助けできる（Taiwan Can Help）」というスローガンを掲げ、各国に大量のマスクと防護用品を送る医療外交に着手しました。こうした台湾の行動は、世界的にも注目を浴びました。

台湾が今回の新型コロナウイルスの感染拡大防止に成功した理由の一つに、二〇〇三年に流行したＳＡＲＳ（重症急性呼吸器症候群）の経験が挙げられます。台湾では、ＳＡＲＳによって、三四六人の感染者と七十三人の犠牲者を出しました。また、台北市内の病院が二週間にわたり封鎖されるという事態も起こりました。そのとき、「ロックダウンは決して社会的に良い効果を生まない」という教訓を得る一方、「マスクの着用は、感染予防の効果が高い」という知見を得ることができました。ただ、当時は「感染防止のためには『N95』という外科用のマスクでなければ効果がない」と言われ、医療関係者など本当にN95が必要な人たちにマスクが行き渡らないという問題も起こりました。

当時の現場は、本当にカオス状態だったと思います。前述したCECCのような防疫対策の専門組織もなかったので、「中央政府と地方政府で言っていることが違う」とか、「誰に情報をもらえばよいのか」など、人々から不満の声が上がりました。SARSが収束したあと、政府はそうした課題を一つずつ検討して解決してきたのです。

正しい知識を身につけ、一人ひとりがイノベーションを図る

新型コロナウイルス対策に当たった蔡英文政権の面々は全員、SARSのときの経験を共有しています。疫学研究者出身の陳建仁(ちんけんじん)・前副総統（二〇二〇年五月で退任）をはじめ、多くのメンバーがSARS流行前後で重要な役職に就いていました。また、現在の政権内には、感染症や公衆衛生の専門家がたくさん含まれています。これは、公衆衛生の観点から言えば、「少数の人が高度な科学知識を持っているよりも、大多数の人が基本的な知識を持っている

ほうが重要である」ことを学んだ結果だと思います。

基礎的な知識を持っている人が多ければ多いほど、情報をリマインド（再確認）し、お互いに意見を出し合ったり、対策を考えることができます。逆に、少数の人のみが高度な科学知識を持っているだけの状態では、何が起こっているか理解していない人が多いということです。想像してみてください。もし前代未聞の出来事が起きたときに、誰にも相談できず、あなただけに決定権が託されたとしたら、果たして的確な判断を下せるでしょうか。このことからも情報の共有がいかに大切なものなのかがわかると思います。

それとともに重要になるのが、「エンパワー（empower）」の概念です。これはトラブルやハプニングに直面した際に、すぐ反応して状況を変えていこうとする力を意味します。誰かから強制されなくとも、主体的に動き、困っている人に積極的に手を差し伸べる。多くの人がそうした力を持つことで、困難な問題も解決に導くことができるのです。

今回の新型コロナウイルス禍で台湾の人々がとった行動は、まさにそうしたことだったと思います。台湾の人々は、十七年前のＳＡＲＳで「ウイルスは社会を震撼させるものである」ことを知ると同時に、多くの教訓を得ました。具体的には、「仮に症状が出ていなくとも、ウイルスは感染する」といったようなことです。そのため、台湾の人々は「なぜ新型コロナウイルスへの対策を厳重にしなければならないか」という理由をよく理解しています。

台湾の街中で、誰かに「なぜ石鹸で手を洗わなければならないか」と聞いてみてください。聞かれた人は間違いなく、「石鹸で洗えば、ウイルスを洗い流せるから」と答えるでしょう。水で洗うだけでは意味がなく、石鹸を使わなければ洗っていないのと同じであることを理解しているのです。逆に言えば、「このウイルスは石鹸を使えば、洗い流すことができる」という基本的な知識を持っているわけです。そこが重要なところです。

台湾の人たちは、CECCが毎日発表する記者会見での情報を真剣に受け止め、「新型コロナウイルス」という新しい感染症に対する知識を深めていきました。そして、「自分のいる場所でいかにしてより良い方法でウイルスに対抗していくか」を考え、一人ひとりがイノベーションを図っていったのです。

民主主義社会においては、イノベーションは社会全体に広がっていきます。決して中央にいる一握りの人たちが他の多くの人々に強制するものではありません。ですから、中央の状況と他の地域の状況が異なっていれば、それぞれに適合したより新しい方法が生み出されていきます。それは、台湾の人々がこのウイルスの仕組みを正確に理解していたからであると言えるでしょう。

このようにして、政府と人々の間にパンデミック（世界的大流行）に備えるための意識が共有されていきました。今回、「手洗いの徹底」「ソーシャルディスタンスの確保」「マスク着用」といった政府の要請を、人々がすぐに実行に移すことができたのは、この意識の共有が一番大きなポイントでした。

コロナ対策の重要テーマとなったマスク問題をいかに解決したか

新型コロナウイルス対策に関して、政府が対処しなければならない大きな問題の一つがマスクの供給でした。ＳＡＲＳのときの反省を踏まえて、医療関係者には独自の流通経路が確保されていましたので問題は起こりませんでしたが、一般の人々に対して「いかにして早くマスクを届けるか」が大きな課題になりました。

当初、政府は「コンビニエンスストアやドラッグストアで誰もがマスクを三枚まで購入できる」という政策を進めました。しかし、一人の人が複数の店舗でマスクを購入するという問題が発生しました。あるコンビニでマスクを購入した人が、隣のコンビニに行ってまたマスクを購入したとしても、店側はチェックのしようがありません。実際、この方法を始めてすぐにマスクが品切れになり、パニックが起こりそうになりました。

台湾でコンビニを管轄している政府機関は「経済部」（日本でいえば経済産業省）であり、マスクの製造も同様に経済部の管轄です。しかし、経済部はいくつかの部局に分かれていて、コンビニについては「商業局」や「中小企業部」「国際貿易局」などが関係し、マスク生産については「工業局」が関係するなど、それぞれ職掌が異なりました。そのため、まず、経済部内で各部門間の調整をする必要があったのです。

次に、どのようにマスクを各地に配送するかについてですが、これは経済部だけで対処できる問題ではありません。経済部はビジネスや取引のために存在しているのではなく、各業界や業種それぞれの立場を守るために仕事をしているわけですから。

また、感染症は「衛生福利部」（日本でいえば厚生労働省）の所管ですが、「マスクを疾病対策にいかに利用するか」という政策を担当するのは、その下部組織の「疾病管制署」です。さらに、薬局は同じ衛生福利部の下部にある「食品薬物管理署」、全民健康保険カード（健康保険証）は「健康保険署」の管轄です。

このように、マスク対策に「経済部」と「衛生福利部」という二つの部と少なくとも六つの局が関わっているのです。さらに、毎日マスクの配送を請け負う郵便局は「交通部」（日本でいえば国土交通省）の管轄で、当然ここも関わってきます。

このように、一つの部会では解決できない問題が生じた場合、部会間で異なる価値を調整する必要があります。こうした部会間を横断する問題をデジタル技術を使ってクリアにしていくことが、デジタル担当政務委員としての私の仕事になりました（図表1）。ちなみに、

図表１　台湾の行政院組織図と政務委員の位置づけ

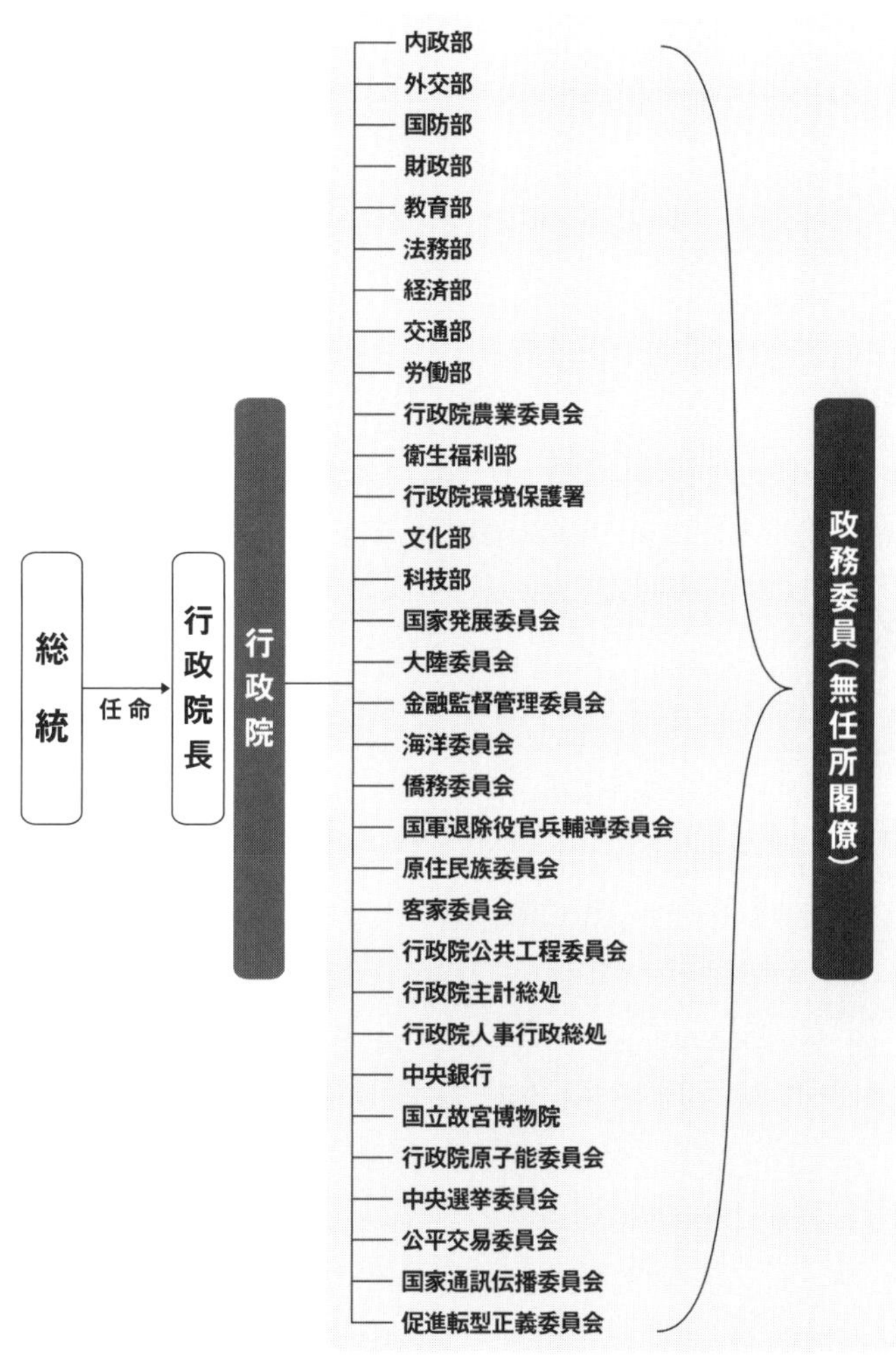

現在、行政院には私を含め、九人の政務委員がいます。

これらの関係部局が集まって何度もマスク対策会議が開かれました。毎回各部門から上がってくる問題について議論しましたが、そのテーマは政府内から上がってくる問題だけでは済みませんでした。

たとえば、1922（政府が新型コロナウイルス対策の一環として設けたホットラインの番号）に、市民から「新しいアイデアを政府の指揮センターに伝えてほしい」という電話が入ってきた際に、そのアイデアについて議論をしたこともあります。また、「小学生の男の子がピンクのマスクを学校にして行ったら、友だちに笑われた」という母親の声が寄せられたときには、これにどう対処するかを話し合いました。

他にも、「マスクは繰り返し使ってよいのか」とか、「電熱釜で加熱すれば殺菌できる」という政府の公告に対して、「本当に水を入れずに加熱してよいのか」といった声が寄せられました。これら民間から上がってきた質問は、政府が想定していた内容をはるかに超えるものでした。

事態が進むにつれて、「マスクを普遍的に行き渡らせ、人々に使用してもらうことは、新型コロナウイルス対策で非常に重要な価値を持つ」という認識が政府内で共有され、私たちは民間の声も重視し、情報を寄せてくれた人たちともコミュニケーションをとるようになりました。

官民の連携によって生まれたマスクマップ

対策会議の結果、台湾の国民皆保険制度を活用して、全民健康保険カードを使った実名販売を始めることにしました。ただし、あるコンビニで誰かがマスクを購入したら、その情報がリアルタイムで別の店舗にも共有される必要があります。「この人はもう購入しているので、これ以上は購入できません」という情報が伝わらなければ、また複数店舗で購入する人が出てきます。

そこで実名販売を実現するために、全民健康保険カードを使うだけでなく、クレジットカードや利用者登録式の「悠遊カード」（日本のSuicaのような非接触型ＩＣカード）を使ったキャッシュレス決済を組み込むことにしました。この方法であれば、誰がマスクを購入したかを確実に把握することができます。

ところが、いざスタートしてみると、この方法でマスクを購入した人は全体の四割しかいないことがわかりました。つまり、現金や無記名式の「悠遊カード」を使い慣れていた高齢者には不便な方法だったのです。これは単にデジタルディバイド（情報格差）の問題ではありません。防疫政策の綻びです。マスクを購入できた人と購入できなかった人の割合が半々では、防疫の意味をなしません。

かといって、高齢者に使い慣れた現金や無記名式の悠遊カードを使うのをやめてもらい、「これからは記名制の『悠遊カード』を使いなさい」「キャッシュレス決済を学びなさい」と迫るのはナンセンスです。

そこで、この方法はとりあえず停止して、まずは全民健康保険カードを持って薬局に並んでマスクを購入してもらうことにしました。これなら高齢者には慣れたやり方ですし、彼らには並ぶ時間的な余裕もあります。また、家族の全民健康保険カードを預かって一緒に買ってあげることもできるので、自分が家族に貢献しているという感覚も持てたようです。

並んで購入することは高齢者にとって負担となりますし、コンビニでの購入と比べれば時間的コストもかかります。しかし、結果として七〇～八〇％の人がマスクを購入することができ、台湾での防疫に大きな役割を果たしたのです。

その次に、今度は並んでマスクを購入する時間的余裕がない人のために、スマホを使ってコンビニでマスクを購入するシステムを設計しました。また、台北では自動販売機でマスクをキャッシュレス決済で購入できるようにしました。ただし、「誰がマスクを購入した」という情報は、中央健康保険署にリンクされるようにしました。また、中央健康保険署は台北市政府とリンクされ、さらに台北市政府内の衛生局や情報技術局ともリンクされて、情報共有が図られました。

一連のマスク対策で重要だったのは、〝問題を処理する順序〟でした。我々はまず対面式あるいは紙ベースでしか対応できない人について処理を行い、その方式を進める中で「もっと便利で早い方法を使いたい」という声に対応していきました。その結果、中央部会の各部局、外局、自治体のスマートシティ事務局、薬局、民間の科学技術関連企業など、あらゆる分野、機関を跨いで全体を統合することで、マスク政策は一歩進んだものになりました。

マスクの実名販売制を進めた際、最初はコンビニでマスクを販売し、後に薬局での販売に切り替えました。コンビニでの販売期間はわずか三〜四日だったと思いますが、この間に大きな混乱が起こりました。どこのコンビニにどれだけの在庫があるのかがわからなかったことが、この混乱の原因でした。海外でも大きな話題となった台湾のマスクマップのアイデアは、こんな状況から生まれてきたのです。

マスクマップができるきっかけは、台湾南部に住む一人の市民が、近隣店舗のマスク在庫状況を調べて地図アプリで公開したことから始まりました。私はそれをチャットアプリ「Slack（スラック）」で知りました。政府の情報公開やデジタル化を推進するスラック上のチャンネルには、八〇〇〇人以上のシビックハッカー（政府が公開したデータを活用してアプリやサービスを開発する市井のプログラマー）が参加しており、コロナ対策に限っても、当時五〇〇人以上のシビックハッカーがいました。

私がマスクマップを作ることを提案し、行政がマスクの流通・在庫データを一般公開すると、シビックハッカーたちが協力して、どこの店舗にどれだけのマスクの在庫があるかがリアルタイムでわかる地図アプリを次々に開発しました。これによって、誰もが安心して効率的にマスクを購入できるようになったのです。

このような経緯で、台湾における新型コロナウイルス感染症防止の重要なポイントだったマスク対策は成功を収めることができたのです。

政府と民間の信頼関係の象徴となった全民保険制度

先に述べたように、台湾におけるマスク対策のベースとなったのが、国民皆保険制度にあたる「全民保険制度」でした。これは台湾の人々が、政府の中央健康保険署に大きな信頼を寄せている証でもあります。もし、多くの人々が政府よりも民間の保険会社を信頼し、保険会社がビジネスとして競争力を有し、責任を持って人々の健康を支える状態であれば、「全民保険制度」がこれほどうまく機能するという状況は到底出てこなかったはずです。

では、なぜ台湾では、多くの人々が政府の保険を信頼しているのでしょうか。それは、全民健康保険争議審議会で話し合われるあらゆるプロセスが、原稿の一言一句まで透明化されているからです。これは私がデジタル担当政務委員に就任する以前から、そのようなシステムになっています。政府は、健康保険の審議会で改正があるたびに、すべての資料を透明化し、どのような作業が進んでいるのかを国民に公開しています。

実を言うと、この全民健康保険制度そのものも、二〇〇二年、二〇〇三年に社会の異なる階層や年齢、そして地方から代表者が集まって審議されたことがあります。その点で、この制度は、社会のあらゆる意見を集めて形成された融合的なものとも言えます。そのような経緯があるため、この全民保険制度の正当性は、民間の保険会社と比べても遜色なく、信頼されるに足るものとなっているのです。

同時に、それは政府と人々の信頼関係を意味しています。政府が人々を信用していなければ、今回も強制力によって管理することになったでしょう。つまり、「人々が自主管理できない」という理由で、刑罰による威嚇や監禁、ロックダウンの強制といった手段をとらざるを得なかったかもしれません。

しかし、CECCは当初から「緊急事態宣言を発布するような状態ではない」と言ってきました。「緊急事態宣言をすれば強権的なことができるけれど、それは適切ではない。緊急事態宣言を出さなくても、国民が自発的に政府に協力してくれることが大切だ」という考えだったのです。

たとえば、バーやナイトクラブのような匿名性の高い場所は、以前は防疫に協力してもらえるとは考えられていませんでした。しかし、CECCの陳時中指揮官は、彼らを信頼して、防疫の方式として実名登録や写真による記録などを提案しました。最終的に、バーやナイトクラブもそれに応じることによって、営業を続けることができました。

最初から「誰かが違反するだろう」などという先入観を持って強制的なやり方を選択するのは、いい方法ではありません。誰も感染などしたくないのですから、「どのようにすればお互い協力できるのか」ということを考えるべきなのです。それが政府と人々の重要な信頼の源になるわけで、両者の間に相互信頼があったことが、台湾において感染拡大を防いだ最大の理由であったと言っていいと思います。

全民健康保険カードやクレジットカードによって本人確認を行い、さらに行政機関のデータとリンクさせるというやり方は、ITの活用によって実現したことですが、それは政府と人々との間に信頼関係があったからこそ実現したのです。このような相互信頼が、社会のデジタル化を推進していくときに不可欠な前提条件になると私は考えています。

第二章

AUDREY TANG
THE FUTURE OF DIGITAL INNOVATION

AIが開く新しい社会

デジタルを活用してより良い人間社会を作る

デジタル技術は社会の方向性を変えるものでは決してない

台湾のマスク対策は、政府と人々の信頼関係をベースにしてデジタルを活用することによってうまくいきました。この成功にデジタルが大きな威力を発揮したことは間違いありません。今後、社会の様々な場所でこのような現象が見られることになるでしょう。デジタルを有効的に活用することで、私たちの社会は大きく変化し、進展していくはずです。

しかし、私は必ずしも「すべての面においてデジタル技術を使わなければならない」と考えているわけではありません。

たとえば、新型コロナウイルスを防ぐための最良の方法は、やはり石鹸を使うことであり、二番目に良いのは、アルコール消毒をすることです。これらをデジタル技術で置き換えることなどできませんし、石鹸やアルコール消毒を科学的なテクノロジーに置き換える必要もありません。

しかし、デジタル技術を用いることで、石鹸の使い方をより広く、より早く、人々に理解してもらうことができます。

たとえば、台湾では手の洗い方を教える歌が作られました。この歌をインターネットで拡散するために、デジタル技術を使って可愛いキャラクターを作るのは良い方法ですし、実際に可能なことです。

だからといって、それで社会の方向性が変わるわけではありません。歌やキャラクターは、もともと私たちが持っていた「手を洗う」という習慣を、「もっときちんと洗いましょう」「石鹸も使いましょう」と広めているに過ぎません。その結果、最終的に収斂される情報は「きちんと手を洗いましょう」という、ごく当たり前なものなのです。

その一方で、デジタル技術を使うことで、民間で使われる水の量の変化を知ることができます。この「きちんと手を洗いましょう」という考え方が広まってからは、人々の手を洗う回数が増えました。手洗いの時間が長くなってきたのです。それは使用される水の量が増えていることからも明らかです。

これはデジタルが石鹸に取って代わる技術になったわけではありません。私たちは「みなさん、石鹸で手を洗いましょう」と呼びかけた結果、どれだけ石鹸が使われているかはわかりませんが、「水の使用量が増えている」というデータから、みなさんがきちんと手を洗っていることを推測できるというだけです。

政府はデジタルで社会の方向性を変えようとしているのではありません。私たちも「石鹸で手を洗いましょう」という考えと同じ方向を向いています。ただ、私たちはこれと同じ方向性にいながら、「手を洗いましょう」というメッセージをデジタルによって、より広く、より早く伝えようとしているだけです。

デジタルは「民主主義」という社会の方向性を変えるものではありませんし、デジタルが指し示す方向に人々を向かわせようとするものでもないのです。これは新型コロナウイルス対策に限らず、今、台湾で進められている様々なデジタル化の試みのすべてにおいて断言できることです。

台湾が5Gの導入を地方から行っている理由

台湾のデジタル化の現状を少しお伝えしましょう。

台湾では、すでに5G（第五世代移動通信システム）が普及しつつあります。4Gと5Gの最大の違いは、5Gのほうが遅延時間（ラグ）が非常に短いということです。

たとえば、ウェブ会議システムを使って海外メディアの取材を受けるときも、私は外国にいるインタビュアーのリアクションをほぼリアルタイムで見ることができます。これは通信スピードがアップしたからではなく、遅延がなくなったということです。スピードが速い遅いというのは、私が相手をディスプレイ越しにどれだけはっきりと見ることができるかという問題ですが、ここで言う遅延とは、相手がうなずいてから私がそれを認識するまでにどれだけの時間がかかるかということです。

たとえば、ブレーキを踏んでから車が止まるまでの時間は遅延と言えるでしょう。また、車を運転中に対向車とぶつかりそうになってクラクションを鳴らした場合においても、相手に音が聞こえるまでには遅延が生じます。音の伝播（でんぱ）速度に限界があるため、そこに遅延が生じるわけです。

４Ｇ技術の特徴として、光ファイバーよりかなりスピードが落ちるということが挙げられます。つまり、自動運転で対向車と衝突した場合、衝突した車同士が４Ｇで通信していたら、ぶつかってからやっと「対向車とぶつかるぞ」という信号が届くという感じです。それが５Ｇであれば、信号が最初に送信されるため、対向車は衝突を避けるためにハンドルを切るか、すぐにブレーキをかけることができます。これは４Ｇと５Ｇの大きな違いです。

このような５Ｇを公共利用するためには、多額の設備投資を行わなくてはなりません。これを政策として進める場合、まず４Ｇの利用率が比較的低い場所に５Ｇの設備を確保することが重要です。要するに、ネット環境が良くない地方にまず５Ｇを導入するのです。それによって、地方の人たちの学習環境や健康管理の権利を確保したり、改善したりすることが可能になるでしょう。

これまで台湾では、地方に対しては大規模な資金を投入した設備投資が必ずしも行われてきませんでした。しかし、5Gについては、「都市からではなく、地方から先に進める」という方式をとっていて、現在、地方での5Gのチャンネルを確保するために多額の資金投入が行われています。

「なぜ、地方からなのか」と疑問を持たれるかもしれません。まずそれについて説明したいと思います。

たとえば、これまで台湾で行われていたリモート教育は、ネットにつながっているからこそ可能になっていました。そのため、ネット環境が整っていない山の上や離島では、これらの授業はできませんでした。しかし、「それは公平ではない」と政府は考えました。そのため、昨年（2019年）から政府は山岳部をターゲットに設備投資を行っています。つまり、内政部（日本でいえば総務省）は、ヘリコプターを出動させるなど、あらゆる方法を使って、どれだけ高い山でも電波が届くようにしています。また、今年（2020年）中には離島や海上でも電波が届くようにする予定です。

台湾にはたくさんの小島があり、小学生がカヌーを使って島々をめぐるような体験をしています。小島の間を縫うように漕ぐのはカヌーの良い練習になります。ただ、何かのトラブルがあった場合、陸上にいる人が助けてくれるかどうかは別にして、ネット環境を整えておかなくてはなりません。文字どおり、それがセーフティーネットになるからです。

セーフティーネットが何もないと、子供たちが非常に危険な状況に置かれるケースがあるかもしれません。でも、セーフティーネットがあれば安心して探検できますし、大自然は彼らの良い先生になってくれるでしょう。

そのような体験は、人間の成長にとても貴重なものです。そういうものが何もなければ、私たちはいつも平地の人間が作り出した建築物の中にいるだけです。ネットにつながっているだけでは、大自然の中に入り込む感覚を実感することはできないでしょう。VR（バーチャル・リアリティ＝仮想現実）はあくまでも仮想に過ぎず、大自然と同じというわけではありません。

5Gあるいは将来的には衛星を利用した6Gが出てきますが、これらの技術は私たちが到達できる場所を拡大するだけでなく、私たちの視野を広げてくれます。また、これは教育の非常に重要な部分です。だから、まずネット環境が整っていない地方から始めているのです。それによって、私たちが手にできるものは、決して小さいものではありません。

人間がAIに使われるという心配は、杞憂に過ぎない

このように社会のデジタル化が進むことで、私たちは多くの利益を享受することが可能になります。ネット環境の広がりにより仕事のやり方も変わってきています。たとえば、新型コロナウイルスの感染防止対策として、リモートで仕事をする人も増えました。今ではリモートであっても、それほど問題なく仕事ができるということを、多くの人々が理解しています。今はどこにいても仕事ができる時代です。

その一方で、機械やＡＩが発達しすぎると、「自分たちの仕事が奪われるのではないか」と心配する声もあります。とくに単純作業が消滅してしまうという懸念から、「ホワイトカラーとブルーカラーの間の経済格差が広がるのではないか」という声も聞こえてきます。

一例を挙げると、ＡＩに作業を覚えさせる「教師データ（teaching data）」というものがあります。これは、「車とは何か」「家とは何か」「道路とは何か」といったことをＡＩに理解させるために、それぞれの解説を作成してラベリングしていく仕事です。まるで幼稚園の先生のように、この世界のことをあまり知らないＡＩに二〜三年かけて基本的な知識を教えていくわけです。このとき、入力などの単純作業は人間が行いますが、その基本的な積み重ね

が終わると、あとはコンピュータ自体が仕事を引き継いで行うことができます。

現在のＡＩは、小学校一～二年生のレベルに達しているので、「これは赤信号」「これは青信号」というような初歩的なことは教えなくてもわかるようになっています。グーグルがたまに「これは横断歩道ですか」「これは車ですか」と聞いてくるのを見たことがある人もいるでしょう。以前は英単語や数字が表示されて、「入力してください」というメッセージが出ることもあったと思います。現在のＡＩは英単語や数字を学んでしまっているので、そのような入力の必要はありませんし、「どれが信号機ですか」というような質問をされることもほとんどありません。おそらく「交差点」もすぐに認識するでしょう。

もちろん、最初は誰かがこうした「教師データ」を作成し、ラベルを貼るという作業を行うのですが、こうした仕事は過渡期のもので、ある程度までコンピュータが学んでしまえば、もはや人間が自ら入力する必要はなくなります。そのことを指して「人間の仕事が奪われる」という見方もできるかもしれませんが、そもそもこうした仕事は昔からあったわけではありません。教師データの入力は、コンピュータあるいはＡＩによる視覚認識が始まった二〇一五年頃から登場してきた仕事ですから、ここ五年くらいの話でしょう。そう考えると、「奪われる」という表現が果たして適切なのかどうかという気もします。

それに、どれだけＡＩが進化したとしても、最終的に人間の手で記録をする作業がなくなることはないでしょう。この「記録する」という作業は非常に重要です。データ分析をするにしても、「このデータを参照して最終的な決断をしました」という場合、昔は基本的なことから高度なことまですべて自分たちでしなければなりませんでした。

それが、今は基本的な部分については、ＡＩに任せることができるようになってきたのです。もちろん、最終的な責任は人間がとらなければならないことに変わりはありません。たとえば、本を出版するのなら、編集作業は必要ですし、読者に提供する際に責任を負わなければならないのは人間です。

本を作る場合、上手な編集者と下手な編集者の違いは、「一分間に何文字読めるか」ではなく、膨大な言葉の中から独自の視点を抽出し、その独自の視点で「記事全体に活力を感じさせることができるかどうか」でしょう。こうした仕事はＡＩにはどうすることもできません。段落ごとのポイント、使われる名詞や専門用語などをデータ化してラベルを貼っていく作業が進んでいけば、もしかするとＡＩにも優れた編集ができるようになる可能性はあります。ただし、その場合でも、最終的な責任は判断した人間にあるのですから、こうした仕事は人間にしかできないと言っていいと思います。

私は翻訳が趣味なので、ＡＩにどれだけの翻訳ができるのかに興味を持っています。たとえば、エンジニアリングに関する文書や法律関係の文書であれば、標準的な答えとなる翻訳があれば、現在の技術でＡＩ翻訳は実現するでしょう。あるいはＥＵ各国がそれぞれの言語で同時に発行するような法律文書の翻訳ならば、基礎資料が多いので標準答案が間違っている恐れはほとんどありませんから、ＡＩ翻訳は可能でしょう。

しかし、詩や小説などの文学作品になると、そうはいきません。人間が小説を外国語に翻訳するにしても、訳す人によって翻訳作品は少しずつ内容に違いが出てきます。こうした種類の翻訳は、ある意味では、もう一度創作していることと等しいからです。表面上は翻訳ですが、実際には創作です。それをＡＩによって自動翻訳を行うのは、まだまだ難しいでしょう。

AIはあくまでも人間を補助するツールである

繰り返しますが、今後、人間が行っていた中間的な仕事の大部分は、ＡＩに任せることが可能になるでしょう。ただ、最終的に仕事の品質や調整に責任を持つのは人間です。これからは、こうした人間とＡＩの協力モデルが標準になっていくでしょう。

ＡＩの目的は、あくまでも人間の補佐です。「ＡＩの判断に従っていれば間違いない」ということでは決してありません。最終的な調整は人間が行わなくてはならず、責任は人間が負わなくてはならないのです。

これは「民主主義」のシステムと同じです。総統が言ったから、行政院長（日本でいえば首相）が言ったからといって、それが必ず正しいということではありません。彼らが間違ったことを言えば、私たちには言論の自由があるのですから、彼らの間違いを指摘し、より良い意見を提案することができます。総統や行政院長の地位が高いからといって「彼らの言うことは正しい」と鵜呑みにしてしまうのであれば、民主主義である意味はありません。それでは独裁体制と変わらなくなってしまいます。

私は幼い頃からコンピュータに親しんできました。私とコンピュータの関係は、ちょうどスティーブ・ジョブズの言った「精神的な自転車（Bicycle of Mind）」のようなものでした。つまり、人間は「自転車」というツール（道具）を使うことで、より遠くへ行くことができますし、山に登りたいのであれば、自転車（マウンテンバイク）は大きな手助けをしてくれます。しかし、これはツールである自転車のほうが人間より山登りが得意だという意味ではありません。自転車に山登りをさせるのであれば、登山の意味が失われてしまいます。

ツールの助けを借りて山に登ったり、山頂で写真を撮って帰ってくることができる。ここで重要なのはツールではなく、あなたが自分でどこへ行き、何をしたのか、です。

「道具を使えばもっと速く走れる」といっても、自分の代わりに道具を走らせれば良いという不合理な話にはならないでしょう。大切なのは、走るプロセスにあります。道具はそれを補助するものでしかありません。私はＡＩについても、そのように考えています。

ＡＩは人類がどういう方向に進みたいのかを問いかけている

ＡＩに関しては、「二〇四五年にシンギュラリティ（Technological Singularity、技術的特異点）が到来し、ＡＩの能力が人間の能力を上回る」という説が唱えられています。

ここで「シンギュラリティ」と呼ばれているものは、そもそも私たち人間がＡＩというものを開発しようとしたために生まれてきた考え方に他なりません。

以前も、「世界終末時計」とか「核戦争までのカウントダウン」というものがありました。「あと何年で核戦争が起こり、地球が滅びる」「地球は残っても人類の文明は滅びる」、さらには「気温が上昇すれば、今のような人類の文明は存在しなくなるし、生き続けるにはかなりの変化が必要だ」などと推測をする人たちもいました。

しかし、仮にそうなったとしても、おそらくそこで地球そのものがなくなることはないでしょう。核戦争や気候変動は、私たち人間の文明という、この一つの層を破壊するだけにすぎないからです。

こうした核戦争や気候変動と同じように、二〇四五年のシンギュラリティに向けてのシナリオに言及するのは、「私たち人類はいずれ滅んでしまうから、明日のことは何もやらなくていい」などと言うことが目的ではないでしょう。重要なのは、放射能の拡散を防ぐために、あるいは二酸化炭素の排出量を減らすために、AIが存在する今の状況で、「いかにしてAIを活用するか」ということでしょう。AIに人間の補佐をさせて、次世代によりよい環境を残す方策を考えることが大切なのです。つまり、AIは「人間をどの方向へ連れていくか」をコントロールするものではなく、「私たちがどの方向へ行きたいのか」をリマインド（再確認）するための存在なのです。

もちろん、「核戦争まであと何年」などといった警告がまったく意味をなさないとは思いません。現時点で核戦争は勃発していませんが、核兵器が実際に使われた過去の経験を人類は持っています。広島と長崎で使われた原子爆弾は、人々が目を覆いたくなるような惨状を生み出しました。広島にある平和記念資料館が常に世界に対して「二度と核兵器が使われてはならない」と訴え続けていることを私は知っています。

また、時には人間の故意ではなく、大震災などの天災によって原発が破損し放射能汚染が起きるというようなことがあり得るのです。もともと私たち人間は、核をコントロールできた場合の効用を知っています。ところが、放射能汚染を目の当たりにすると、核が人智を超えた結果をもたらし得ることをまざまざと実感するのです。こうした経験をもとに、私たちは謙虚、謙遜ということを学ぶのだと思います。

科学を理解したからといって、それで「物事のすべてを理解した」という傲慢さを持ってはいけないのです。さらに言えば、短期的な利益にとらわれて大きなリスクとなるような冒険をしてはならないのです。「次の世代にリスクを残すかどうか」を賭けの対象にして、わずかばかりの利益を得ようとするのは、あまりにも馬鹿げているように見えます。

原子力エネルギーの研究者たちは、原子炉で使用済みになった核廃棄物を発電用のエネルギーに転換し、ロスを少なくするための研究に非常に長い時間を費やしています。そうすれば、次世代の原発は、もしかしたら以前ほどの危険性はないのかもしれません。ただ、旧世代の原発が終了した後に生まれる核廃棄物を「いかにして適切な方法で処理して燃料にするか」という研究は、まだ完成に至っていません。

私は、「原子力が絶対に良い、あるいは絶対に悪い」と言っているわけではありません。ただ、人間が謙虚でありさえすれば、今後の原子力の発展は長期的視野に立った良い方向に向かうのではないかと思っています。それと同様に、科学技術や原子力のエンジニアは、社会にとってよりリスクの少ない方法を考えなければならないと思っています。これはＡＩによる二〇四五年のシンギュラリティを考える際にも同じことが言えるでしょう。

ＡＩが人間を超えることが良いか悪いかを問うこと、それは地球の温暖化によってあらゆる場所で山火事が起こり、海面が上昇して都市が水没し、地球上で現在のような生活方式では生きていけなくなったとすれば、それは良いことか悪いことかと聞くようなものです。あるいは、核戦争が起きて大気圏全体が放射能で覆われて、ゴキブリ以外は生きていくことができなくなったとすれば、それが良いことか悪いことなのか、と聞くようなものです。つまり、現段階でそんな質問をされても、的確な価値判断はできないということです。

大切なのは、そういう仮定の話をする前に、「そうならないために何をするべきか」をじっくり考えることでしょう。シンギュラリティが私たちに示唆しているのは、もし私たちが今の生活様式を守り続けていきたいのであれば、現在、人間が発展させようとしている技術をこのまま開発し続けることはできないという事実です。

今のまま二酸化炭素の排出が続いたり、放射能汚染が蔓延・拡大したり、あるいはＡＩ機器が人間に取って代わり社会をコントロールするようになれば、今の生活は間違いなく破壊されるでしょう。テクノロジーには、私たちの生活を前進させるだけでなく、私たちの未来に起こり得る危機を示唆し、気づかせてくれる役割もあります。それを人間は謙虚に受け止める必要があるでしょう。

「ＡＩが人間を超えるような事態になったらどうなるか」などと考えるより、「人類はどの方向に進みたいのか、そのためには何が必要なのか」を議論するほうが先だと思うのです。

結論までのプロセスを説明できないディープラーニング

「二〇四五年にシンギュラリティが起こる」ということが問題にされる背景には、ＡＩそのものの進化が急速に進んでいるという理由があるでしょう。

二〇一三年以前に私たちが議論していた頃のＡＩは、比較的シンプルでわかりやすい技術でした。ＡＩは、きちんと情報をインプットしさえすれば、私たちに代わって面倒な仕事を片づけて、時間を節約してくれる便利なものでした。それは今でも変わらないのですが、ＡＩの進化とともに、私たち人間がデータ認識の基礎となる「教師データ」のインプットを助ける必要がなくなってくると、ＡＩ自身が自分で学習方法を模索するようになりました。それは私たちがＡＩに促したものではないし、ＡＩが人間から学んだわけでもありません。そのため、どのようにして自己学習したかを、ＡＩは私たちに説明することはできません。

ＡＩ自身がいったん自分で学習する方法を見つけ出すと、ＡＩは自己学習してどんどんレベルアップしていきます。たとえば、ＡＩにイチゴを認識させるために「これがイチゴだよ」と複数の画像を教師データとして与えると、ＡＩはその画像から「イチゴ」という物体の色や形を収集し、パターンやルールの発見、特徴量の設定をしていきます。その結果として、ＡＩが膨大な画像の中から瞬時にイチゴを見つけることも可能になるというわけです。

これがいわゆる「ディープラーニング（深層学習）」と呼ばれる方法です。このディープラーニングの結果、「ＡＩがいつか人間を超えてしまうのではないか」という心配が生まれているのでしょう。

しかし、それは杞憂であると思います。今後ディープラーニングのプロセスを人間の思考方式に基づいて説明できるようになる可能性は、一定程度あると考えられるからです。むしろ「ＡＩはさらに高度な方向へ進んでいる」というのが、現在の状況でしょう。

現在のＡＩは、推論のプロセスに頼るのではなく、入力された情報に正確に依拠し、データからつながりを見つけ出していきます。これに対して、私たちが「データ」というものを見る場合は、往々にして人間の概念、すなわち抽象的な発想の影響を受けています。たとえば、囲碁で「この黒石はもう活かすことができない」と言ったりしますが、この「活きる・活きない」という発想は人間ならではのものであると言えるでしょう。

しかし、ディープラーニングはこれらの概念に影響されることはありません。人間は囲碁のルールをＡＩに教える必要すらないのです。ＡＩは人間の概念とは無関係に、自分でどうすればより良いプレイができるかを考えます。ＡＩに何かの決断をさせる場合でも、以前は人間の概念を用いて誘導したので、ＡＩ自身が人間に「こういう理由でこの決定をしました」と説明することができました。しかし、ディープラーニングでは人間の概念は使用されないので、ＡＩが下した決断の理由は人間にはわからないし、ＡＩ自身もわからないのです。

これは睡眠学習に似ているかもしれません。私は睡眠の質あるいは時間を重視していますが、眠っている間も脳に作業をしてもらっています。

それはこういうことです。私は寝る前に、仕事に必要な資料をすべて読み込みます。ただ、読み込むだけで何も判断しません。頭で判断しようとすると眠れなくなってしまうからです。まずは情報のインプットだけを行い、インプットが終わると、「明日起きたらこの問題の回答を得なければならない」と思って眠りにつきます。すると、翌朝目が覚めたら頭の中に回答ができあがっています。眠っている間に脳がどのように働いたのか、私にはその仕組みはわかりません。

一つ具体的な例を挙げてみましょう。あるとき、外交部（日本でいえば外務省）、衛生福利部などに関連する研究機関から私のところへ、台湾における新型コロナウイルスの防疫の取り組みについて海外とシェアしてほしいという依頼が寄せられました。紙にすると一〇〇ページ以上にも及ぶほどの情報量です。しかし、私に与えられた課題は、台湾を知らない海外の人たちに、五分という短時間で新型コロナ対策の台湾モデルを明快に伝え、理解してもらうようにしたいというものでした。

これは私にとって難題でした。情報量が膨大なため、一時間もらえればわかりやすく説明することはできますが、五分ではどう話すべきかがわかりません。そこで私は、寝る前にこれらの資料を読んで、全部頭の中に入れておいたのです。すると、目覚めたとき、私の頭には三つのキーワードが浮かびました。それは「Fast（素早く）」「Fair（公平に）」「Fun（楽しく）」でした。結果、これらのキーワードを軸にして、いくつかの事例を挙げることで、台湾モデルと他国との違いを十分に説明することができたのです（図表2）。

もう一つ別の例を挙げれば、「Humor over Rumor（ユーモアは噂を超える）」というユーモアによってフェイクニュースを無力化するためのアイデアも、同じような方法で思いついたものです。トイレットペーパーの買い占めが起きそうになったとき、行政院長が「誰でもお尻は一つしかない（だから安心してください）」というキャッチフレーズで騒動を収めたのですが、それもこの「Humor over Rumor」というアイデアに基づくものでした。

私は「Humor over Rumor」の手法で、「トイレットペーパー不足は起こらない」ということを人々の頭に刻み込んでもらうだけでなく、彼らの過去の経験と結びつけて考えてもらうきっかけにしたのです。ただし、海外の人たちに台湾のコロナ対策について説明する場合、いきなり「トイレットペーパー不足という噂が流れ始めて」などと言っても、彼らはなんの

図表2　台湾における新型コロナウイルス対策「3つのF」

ことだか理解できないでしょう。そこで「Humor over Rumor」のように韻（いん）を踏んだ、誰にでも簡単に理解してもらえるような内容を「Fast」「Fair」「Fun」という三つのキーワードで表したわけです。

これらの言葉がどのようにして頭に浮かんできたのかは、私にもわかりません。夢の中で何かを判断したり、アイデアを出したりするといっても、目が覚めたらその結果だけしか残っていないのです。確かに「Fast, Fair, Fun」というキャッチフレーズを私は作り出しましたが、夢の中でどのようにしてこの三つの「ラベル」に到達したのか、あれほどの情報量の中からどうやって抜き出したのかということについては、私自身も説明できません。「夢を見て二時間経過したときに、こんなアイデアが出てきました」なんてことは言えないのです。というのも、私たちは夢の中では、起きているときに運用する概念とはまったく異なる概念で動いているからです。だからこそ、今説明したような状態が生じるのです。

ディープラーニングをどう社会に位置づけるかを考える

とはいえ、私も一日中夢を見ているわけではありません。目は覚めますし、いずれは自分の結論を他の人たちと共有しなければなりません。自分自身で「Fast, Fair, Fun」の結論に満足したら、衛生福利部や外交部に対し、私が思いついた三つの言葉が彼らの要求を非常に正確に描写しているものであると納得させなければなりません。

この場合、政務委員であるからといって、「夢で見たから」という理由で押しつけることはできません。この三つのキーワードについて、それぞれ例をきっちりと挙げ、明確に説明できることを証明しなければならないのです。「Fast, Fair, Fun」というキーワードと、実際に発生した事実をブリッジするのが私の役割です。

たとえば、台湾のコロナ対策における「Fair ＝公平」とは、マスクの実名制での販売を指しますが、「公平」という概念と「マスク販売」という事実をつなぐ必要があります。「公平」という抽象的な概念だけを語るだけでは意味がないのです。マスクの公平な分配とは、どういうことかを説明しなければなりません。「ブリッジ」という概念によって、私自身でもどうやって出てきたかわからない「Fast, Fair, Fun」というキーワードと私のニューラル・ネットワークにおける入力層の間に新しいリンクを作り、説明責任を果たしていく。それこそが私に求められるアカウンタビリティ（説明責任）なのではないかと思います。

目覚めているときには、政務委員としての仕事を行いますが、寝ているときには、そうした作業はできず、「Fast, Fair, Fun」を生み出すだけです。これと同じ道理で、ディープラーニングを用いるのであれば、最終的に「Fast, Fair, Fun」のような「ラベル」を見つけ出しても、その「ラベル」について説明責任を果たせるような何らかの方法を開発する必要があります。

他人の気持ちを感じることが苦手な人もいます。平気で悪事を働くような人は「良心がない」と言われることがあります。他人が不快に思うことを感じることができないというのは、機械だけの特質ではなく、人間の中にはそうした気質を持つ人もいるということです。それと同じ意味で、「社会が安全で住みよいものになるためには、どれだけのプロセスが必要なのか」ということを考えなければなりません。

トラックの運転免許を持っていない私が、トラックに乗ってエンジンをかけてしまわない方法を、私たちの社会は全力で考えてくれています。これは非常に重要なことです。戦車を運転する権限がない人が戦車を運転することのないように、社会は慎重な努力を払う必要があります。

社会を大規模に破壊するようなもの、重大な被害を与えること、たとえば「虫の居所が悪いから」と言って核爆弾のボタンを押してしまうようなことに対して、社会はそれを防ぐための高い基準を設けています。ディープラーニングも同様です。それは人間社会が前進していくうえでの補助的な役割、あるいはナビゲーションの役割を果たすものであり、ＡＩが勝手に車を運転し始めるということはありえないのです。

その基準となるのが「社会のルール」といわれるものです。社会の仕組みを知らない子供にバスの運転をさせるようなことはしないでしょう。私たちの社会は、子供にそうした仕事を与えるようなことはしません。日本のアニメ『新世紀エヴァンゲリオン』に似たような場面が出てきます。このアニメのストーリーは、主人公の少年が人型の兵器に乗って謎の敵と戦うというものですが、ただ、それは非常に特殊なケースであって、現実社会においては非常に強い制限がかかっています。もしも社会の倫理観や価値観を逸脱するようなことをすれば、その責任を問われなければならないでしょう。社会の価値を変えるようなことがあれば、説明責任を果たさなければなりません。

本当に責任能力がある人であれば、最終的に私たちはその人に戦車を運転させるかもしれません。同様に、ディープラーニングを社会のどの位置に置くかについては、社会全体でしっかり議論する必要があると思います。

どんな技術についても言えることですが、こういった視点で見ると、ディープラーニングはひょっとすると核兵器ほどの怖さはないのかもしれません。私は、核兵器がもたらす脅威のほうがＡＩのそれよりはるかに大きいように思います。

競争原理を捨てて、公共の価値を生み出すことを求める

ここまで「ＡＩがいくら進化しても、人間にしかできない仕事がある」という話をしてきました。この「人間にしかできない仕事」と言ったとき、「クリエイティブ（創造的）な仕事」を想起する人は多いかもしれません。

しかし、私は「ＡＩには創造的な仕事ができない」とは考えていません。たとえば、ＡＩと囲碁を打てば、人間が今まで考えもしなかったような打ち方をＡＩはたくさん出してきます。しかし、人間はやがてその打ち方に慣れていきます。そのため、ＡＩが進化する度に、人間社会は常に「ＡＩは創造力に欠ける。残された問題は創造力である」と定義しがちです。

要するに、創造力の定義というものは、状況に応じて常に変化するということです。

中世にローマ数字で計算していた時代は、掛け算は非常に難解なものでした。でも私たちは、掛け算ができるからといって「すごい」とか「素晴らしい」とは言いません。それどころか、人間が行うよりコンピュータに計算させたほうが格段に速いことを知っています。人間の手で行われていたことが機械に置き換わっても、それを人間が拒否するようなことはありません。

このように「創造力」の定義は日々変化し、機器は常に新しい素材を提供してくれます。そのため、私たち自身の創造力の可能性もまた日々高まっているのです。この状況は相乗効果、あるいは相互学習のようなもので、非常に素晴らしいものだと思います。

あなたの仕事の一部が、ある日機械に取って代わられたとき、「これはスキルの問題だから」と過度に反応すれば、敗北感を味わうでしょう。しかし、「機械にできることは機械に任せて、自分はより良い公共の価値を生み出すんだ」という考え方に変え、より価値の高い仕事に専念するようになれば、機械があなたの仕事の一部分あるいは大部分を肩代わりしたとしても、あなたは自分の仕事に満足することができるでしょう。

なぜなら、あなたの仕事の結果が、公共の方向を向いているからです。「この仕事をすれば、社会や環境、経済にいい結果をもたらす。ある種の公共利益をもたらす」といったことを自分の価値の源にするべきなのです。
「公共の利益を達成する」という考え方と、自分と他人を比べてどちらが優れているかを判断しようとするのは、まったく異なる二つの概念です。隣の人よりも少し上手にできたことに達成感を求めるよりも、隣の人と協力して社会問題を解決することのほうが、私は喜びの度合いが大きいと思います。

もし人と比べることで達成感を求めていたら、ある日、機械のほうがあなたの十倍素晴らしくなっているかもしれません。するとあなたは不快になるでしょう。しかし、公共の価値を生み出すことに喜びを感じるように自分を再定義すると、同じことを行っていても機械が十倍の結果を出せば、十倍の公共価値が生まれたと思い、幸せを感じられると思います。私たちはそうした価値を重んじることが大切であり、競争原理に囚われる必要はないのです。

私が子供の頃、台湾では、車椅子に乗っている人をほとんど見かけることはありませんでした。車椅子に乗っている人が少なかったわけではありません。「外に出ると不便だから外出しない」といった理由で、家の近所の特定の場所にだけ出かけていたのです。しかし、現在の台湾社会では、バリアフリー設備やユニバーサルデザインを導入している建物が増えることで、車椅子で動き回る人を普通に見かけるようになりました。介助者に押してもらったり、自分で出かけたりと、非常に自然体で、どこにも障害物はないような印象さえ受けます。

私は、都市の設計を考える場合、「軽度の認知症の人に優しい街が最も良いのではないか」と思っています。そして、より多くの軽度認知症の人が社会活動に参加することで、軽度の人が中度あるいは重度の認知症にならないように予防することも可能になるでしょう。しかし、最初から軽度の認知症の人が参加しづらい社会であれば、当然そうした人たちの社会参加は大幅に減り、結果的に中度、重度の認知症のレベルに達する速度は間違いなく加速するでしょう。前者と後者でどちらがいいかは、言うまでもありません。

そのような誰もが社会参加しやすい社会を作るにはどうすればいいかと考えるとき、そこにＡＩが活用できるのであれば、「ＡＩに自分の仕事を奪われる」といったことを心配する必要はなくなるでしょう。公共の利益に資するような方向を目指していけば、人間社会はより豊かなものになると思います。

ＡＩと人間の関係は、ドラえもんとのび太のようなもの

人間の仕事はどこまでＡＩ化できるのか、そして人間にはまだ何ができるのか――この命題には、重要なポイントがあると思います。つまり、人間が「私はこういうことを実現したい」という目標を設定したら、人間が特別なことを行う必要がなかったり、ＡＩに行わせた

ほうが効率のいい部分はＡＩに助けてもらいながら仕事を進めていく。そこでは、常に人間が主体的であり、ＡＩはあくまでも人間を助ける役割だということです。

たとえば、ＡＩが何かしらの判断を下したとします。しかし、なぜそう判断したのかについて、ＡＩはその理由を教えてくれません。それではあたかも独裁体制の政府が、国民に対し「これをしろ」と命令するけれども、「なぜやらなければならないか」については教えないようなものです。あるいは、ひと昔前の父親のように、子供に対して一方的に命令するだけで、その理由を伝えないようなものです。

人間がＡＩに「こうしなさい」と言われ、その理由を知らないままの状況に長期間さらされると、人間の学習機能が剥奪(はくだつ)されてしまいます。毎回毎回、ＡＩの言うとおりにするというのは、上司に命じられるままに何も考えずに仕事をしているのと同じです。自分の意見を出したり、みんなで討論をしたりということが一切なければ、「最適化」や「イノベーション」といったものは永遠に獲得できず、いつまでも同じことを繰り返すだけになってしまうでしょう。果たして、そんな毎日にあなたは耐えることができるでしょうか。

結局のところ、これは人間における尊厳の問題なのです。私たちは毎日をどのように過ごしたいのか。日々、ＡＩの命令に対し、「なぜか?」ということを考えず、命令どおりに行動することを良しとしないのならば、ＡＩを導入する際に、人間の側とＡＩ側の価値観を一致させることが絶対に必要です。「なぜそうしなければならないか」と人間が質問をすれば、ＡＩはそれに明確に答えられなくてはなりません。アカウンタビリティ（説明責任）を果たすことこそが、ＡＩと人間の関係性をよりクリアなものにするでしょう。

「社会におけるＡＩの普及」について想像するのであれば、ドラえもんがいい例だと思います。ドラえもんはＡＩの一つであると言えます。今日、私たちがＡＩについて想像していることは、あのマンガの中に数多く取り込まれています。

ドラえもんの役割は、のび太くんがやりたくないようなことをさせたり、のび太くんに何かを命令して実行させることでは決してありません。逆に、ドラえもんがいるからといって、のび太くんが自分の代わりにドラえもんに山登りをさせて、自分は行かないということになるわけではありません。また、のび太くんが勉強や外出が不要になるわけでもありません。のび太くんを成長させるのが、ドラえもんの目的であるはずです。

また、ドラえもんはとても優秀なロボット（ＡＩ）ですが、のび太くんはドラえもんだけを信頼しているわけではありません。家族がいて、クラスメートがいて、先生がいて……といろいろな場所で相互交流を図っています。のび太くんはドラえもんが便利な道具を出してくれるからといって、無条件にドラえもんを信頼しているわけではないはずです。むしろドラえもんにおんぶに抱っこでは、のび太くんにとって社会との相互交流は難しいものになってしまいます。

私たちの生活におけるＡＩの役割というものを考える場合、ドラえもんとのび太くんのこのような関係は、一つの好例であると言えます。

デジタルが高齢者に使いにくいのなら、使いやすいように改良すればいい

デジタル社会の進展によって、「高齢者などデジタルに馴染めない人たちが取り残されてしまうのではないか」という意見もあります。

たとえば、コンビニや薬局でマスクを購入するとき、全民健康保険カードやクレジットカードなどを使って購入者を特定していくのは、デジタル技術によるものです。ただ、そのデジタル技術も人間の手を介しない技術ではありません。カードリーダーのそばに薬剤師あるいはコンビニの店員がいて、操作に慣れていない高齢者を見ればきっと助けてくれるでしょう。

多少は時間がかかるかもしれませんが、これは高齢者にとっても一つの学習機会になります。こうした機会がなければ、社会はデジタルが得意な人と不得手な人に分裂してしまいます。得意でない人は使い方を尋ねることさえしなくなるでしょう。これでは社会が分裂して

しまいます。

私の祖母は八十七歳ですが、父がコンビニに連れて行って一度操作を教えたら、次からは自分でできるようになりました。それどころか、祖母は自分よりも若い友人を連れて行って教えることができるようにもなりました。若いといっても、祖母より若いというだけで同じ高齢者です。きっとその友人は、また別の友人に教えることができるようになるでしょう。

何かを学ぶことができた人は、誰かに教えることもできるのです。「少数の人だけが便利に使っていて、大多数の人は学ぶことができない」という手法では意味がありません。デジタル技術は「誰もが使うことができる」ということが重要なのです。それが社会のイノベーションにつながります。

もしも高齢者が不便を感じるのであれば、それはプログラムの問題であったり、端末機器の使い勝手が悪かったりするからでしょう。そんなときはプログラムを書き換えたり、端末を改良して、高齢者が日頃の習慣の延長線上で使えるように作り方を工夫すればいいのです。つまり、高齢者に合わせたイノベーションを行うのです。

そのためには、プログラマーが使用者の側に寄り添って考える創造力を養うことも大切です。その手っ取り早い方法は、プログラムやアプリを開発するプログラマーを自分の設計したプログラムから最も縁遠いと思われる人たちの集団に送り込むことです。そうすれば、

「彼らが何を使えないのか、なぜ使いにくいのか」という感覚を明確に理解することができるでしょう。プログラマーの側に自ずと「同理心（共感、シンパシー）」が備わってきます。

実際に、私はプログラマーに対して開発の方向性を設定する際には、必ずその理想のプロセスを経るように呼びかけています。理想のプロセスとは、「そのプログラムを使う人を訪問してヒアリングさせてもらう」というものです。これまでプログラマーの問題点とは、彼らの成長してきた背景がほとんど変わらず、年齢もほとんど同じで男性が多い、というものでした。広くヒアリングを行うといっても、結局は自分たちとそれほど変わらない人たちの間で開発が行われてきたわけです。これでは万人に役立つものは作れません。

プログラマーの住む場所が様々で、あるいは開発チームのメンバーが様々な年代によって構成され、異なる文化を持ち、出身も異なっていれば、ブレーンストーミングの際に多角的な意見が出され、自ずと各種の異なる需要にも応えなければならないでしょう。そこから、誰にでも使いやすいものが生まれてくるのです。

他人の話を聞くことによって新たな視点が獲得できる

私は中学校を中退する前の時期に、烏来（ウーライ）（台北南部にある山地）にあるタイヤル族の集落に滞在していたことがあります。タイヤル族は台湾の先住民ですが、彼らから見ると、平地に住む台湾人である私と一緒に実験学校を行っているようなものだったと思います。

タイヤル族は私に、「平地に住む人たちは、先住民にも教育が必要だと言うけれど、自然の資源を無節制に使っている彼らにこそ教育が必要なのではないか。それでこそより優れた成果が得られるのではないか」と言いました。私は彼らの考えから多くのことをインスパイアされました。これは実に貴重な体験でした。

同じように、ＩＴを高齢者の身近なものにするためには、もっと高齢者に声をかけて議論する必要があると思います。私の事務所には、いつも額装書画普及研究会の友人たちが来ますが、みんな七十代、八十代、九十代の人たちです。彼らが私たちに教えてくれるのは、「エレベーターの速度を遅めにする」とか「車椅子や松葉杖、歩行器で歩道橋を上がる際の手すりの高さを考えなくてはいけない」といったようなことです。座って議論ばかりしていても見えないこと、わからないことをたくさん教えてもらいました。

彼らから「こうすればもっと使いやすくなる」と言われれば、私はその助言を受けてすぐにシステムを調整するようにしています。新型コロナウイルス対策の中でも、「視覚障がい者にはマスク購入の方法が難しい」という声があったので、即座に購入システムを改善したこともありました。

私は他の人の話を聞くことが好きです。それは純粋な興味からきています。今年（2020年）亡くなった李登輝（りとうき）元総統が、台湾の黒毛和牛やヨーロッパの牛を分析して、台湾でどう育てていくのかについて関心を持っていたのと同じく、私が政治的問題とは離れた事柄に関心を寄せるのは、単純な興味から出てくるものです。

他人の話を聞くことへの興味は大きく二つあります。

一つは、「自分自身の生活という角度から物事を見る」という制限を取り払えることです。同じ世界であっても、異なる角度から見ることで、自分自身の視点の限界を超越することができます。

二つ目は、相手の個人的な経験や背景から述べられたことを通じて、「世界はこのような視点でも解釈できると理解できる」ことです。相手が経験したことが将来自分にも起きたとき、私は相手とはまた違う方法を選択するかもしれません。つまり、未来を学習することができるのです。相手の経験を知ることから自分の視点を学ぶことで、未来に同じようなことが起きたら、きっと自分なりの新しい話し方ができるでしょう。

主にこの二つの点が、私にとって他人の話を聞くことへの興味であり、面白く思う点です。

年齢の壁を越えて若者と高齢者が共同でクリエイトする「青銀共創」

先ほど述べたような新たな視点の獲得がイノベーションへとつながります。たとえば、最近は高齢者や障がい者を対象にしたＩＴを用いた機器が多く出てきています。歩行器のようなものもありますし、日本では高齢者用のパワードスーツまで登場したと聞いています。「背中が曲がってしまって重いものを持ち歩けない」人が、パワードスーツのような製品を装着することによって、重いものを持ち運べるようになれば、非常に便利です。また、ベッドに寝ているときに睡眠が浅くて寝つけない人には、ＩＴの活用で枕やベッドに睡眠状態を検知して角度を調整するなどの知能を持たせることもできるようになるでしょう。

そう考えると、ＩＴは高齢者の日常生活の向上に大きく貢献していることになります。身体は衰えても知能や精神がまだしっかりしている人は、こうした機器を用いることで、引き続き社会に積極的に参加できるようになるでしょう。

私がいつも言っていることですが、高齢者でも社会に貢献できることは非常にたくさんあるのです。私は小さい頃、身体が弱かったので、自由にどこへも行くことができませんでした。私はその不便な障がいを手術で取り除くしかなかったのです。しかし、ＩＴやデジタル技術の進んだ今なら、それらを利用することで、多少体の自由がきかなくなった高齢者でもまだまだ社会に貢献できると思うのです。

最近、日本のメディアから取材を受ける機会が非常に増えました。よく聞かれる質問としてあるのが「日本のIT大臣（注　二〇一九年九月の第四次安倍第二次改造内閣で就任した竹本直一氏のこと）は七十八歳だけれども、どう思うか」です。七十八歳といえば、私の父と同世代ですが、年配のIT大臣は決して悪いものではないと思います。現在（二〇二〇年一〇月現在）の行政院長の蘇貞昌氏も七十三歳と決して若くはありません。でも、彼に何かを説明したとき「もう一度言ってほしい」と聞き返されたことはありません。頭は非常にクリアです。そういう人を身近に知っているので、私は年齢がお互いのコミュニケーションを阻むとは考えていません。

専門的な能力を持った人が縦方向の仕事をすることは、理に適っていると思いますが、本来必要なのは、各年齢層の人間が、私が提供しているような横の連携とコミュニケーションを図る仕事をすることだからです。

台湾では「青銀共創」という試みが盛んです。これは青年（青）と年配者（銀）が共同でクリエイトしてイノベーションを行っていくものです。要は、年配者と若い人がお互いに学び合うのです。年配者は若者から、「今のデジタル社会と、どうコミュニケーションをとっていけばいいか」を学び、若者は年配者の知恵や経験を学びます。私のいるラボ（社会創新実験センター）にも、そうした活動を行っている団体が入っています。

私の執務室に飾ってある額は、額装書画普及研究会のメンバーから寄贈されたものですが、この研究会ではだいたい八十代から九十代の人たちが若い人たちと一緒になって共同でイノベーションを行っています。

高齢者にできる仕事を、それまで彼らが行ってきたものとは違う職業に結びつける必要はないと思います。確かにシルバーの人々が得意なことと、社会が求めている仕事の間には差異があるかもしれません。それを埋めるために学び直しをしてもらう必要もあるかもしれません。しかし、その一方で、社会の側もシルバーの人たちの得意なことを活かそうとする視点を持つべきだと思うのです。

つまり、年配者の得意なことと社会のニーズの中間地点を作ることができないかについて考える必要があると思うのです。これは、新しい社会的役割や職業を生み出すことに等しいイノベーションであり、非常に重要なことです。

若者と年配者はそれぞれ異なる角度からの見方を持っています。その見方を結合させたやり方の一つが、最近コロナ禍の経済対策として台湾で発行された振興三倍券です。この施策を設計するとき、紙のチケットとして振興券がほしいのであれば紙でもらえばいいし、クレジットカードを使い慣れているならカードに情報を載せて使えるようにしました。実際、両者が選択された割合は半々ぐらいです。

この振興券を作るとき、若者と年配者が共同でアイデアを出す場がなければ、どちらか一方のやり方だけになって、残り半分は置き去りにされていたかもしれません。これは絶対に看過できないことです。

重要なのは、「どうすれば、各世代が一緒に政策を作っていくことができるか」を考えることです。政府はその上でまとまった意見を吸い上げればいいわけです。

デジタル社会の発展にはインクルージョンの力が欠かせない

今、高齢者について述べましたが、これはブルーカラー、いわゆる単純労働者にも当てはまる部分が多いと思います。私はブルーカラーだからといって創造性に欠けているとはまったく思いません。むしろ逆で、その土地の状況に合わせて仕事のやり方を変えたり、地震や自然災害などを考慮して耐震構造を作るなど、むしろ創造力を必要とされる部分を数多く担っていると考えています。先進的な機械が導入されれば、オートメーション化できる仕事もたくさんあるでしょうが、一方で、レンガ作りの仕事は創造性がなければ務まりません。

簡単な例を挙げましょう。作物に肥料や農薬を散布する仕事は、昔から最も機械化が進んだ分野です。最近ではドローンやロボットがそれらを支援しています。ただ、「何を植えたいのか」「どういう栽培方法を目指しているのか」「自然農法・有機農法・環境に配慮した農業をするのかどうか」などは価値の選択であり、創造性を持つ農家の人たちでなければ考えることができません。

労働者も同様です。面倒な仕事で、機械化が可能であり、結果も人が行うのと同じであるのであれば、すでに機械に任せてしまっていることは多いでしょう。工事現場で重い建材を動かすことも、身につけるだけで物を運ぶ能力が向上するパワードスーツを使うようになっています。しかし、これはある日突然ＡＩが現れて実現したわけではないでしょう。「重い建材を運ぶのは非常に疲れるし、不快だ」という認識があったため、「なんとか機械を使って人間の仕事を助けることはできないだろうか」という考えが浮かんだと思われます。その結果、ＡＩを使ったパワードスーツのような便利な道具が生まれてきたわけです。

このような発想は、どんな状況の中でも可能になるのではないでしょうか。こうしたプロセスを経て、人間とＡＩは互いに進んでいくのだと思います。それは否定する必要もないですし、「人間の仕事をＡＩが奪ってしまう」という話でもありません。ＡＩの補助を受けて人間の仕事がより高いレベルに進んでいくということに他なりません。

私はデジタルから遠い人たちがいつかいなくなるとは思っていません。「デジタルを学ばないと時代に遅れてしまうよ」という態度は絶対にとりたくなく、その姿勢をずっと堅持していました。それはデジタル担当政務委員になった今も同じです。そのため、あらゆる部会が、私のこの考え方をプログラム開発の際の参考にしてくれています。

情報格差（デジタルディバイド）を埋めるためには、何か一つ二つだけを行えば良いということではありません。誰も置き去りにしないインクルージョンの力を確保しなければならないのです。そして、インクルージョンが確立された後は、「持続可能性」、さらには「環境」という二つの価値観を確立するべきです。そうすれば、他の部会や地方自治体も、デジタルサービスを発展させていこうという場合に、年配者やブルーカラーの人たち、そして将来を担う次世代の若者たちを犠牲にすることはないでしょう。この点が、私が最も政府に貢献している部分だと自負しています。決して「一つのプロジェクト」として貢献したわけではないのです。

AIの活用によって、誰もが心にゆとりを持てる社会を作る

もし「資本主義は市場での競争がすべてである」と定義されるとすると、それは深刻な問

題でしょう。現実をしっかり見ると、競争以外の要素がたくさんあることがわかります。

台湾社会の利点は「社会そのものが強い」ということにあります。地域の発展を支えているのは、協同組合やコミュニティカレッジ、あるいは数多くあるＮＰＯ（非営利組織）の存在です。そのため、高齢化は決して解決の難しい問題ではありません。何か社会に貢献したいと思えば、誰かのポストを奪い取る必要はありません。高齢者が社会貢献活動から得られる達成感は、リタイアする前よりも高いことさえもあります。

リタイアした高齢者は、他人と競争したり比較したりすることを放棄するでしょう。中には近づくのが難しい人もいますが、もしその人が将来の世代のために努力しているなら、「他人と比較して自分がどう思うか」などと考えることや、他人を怒ったり叱ったりということもなくなるでしょう。

前述した行政院長の蘇貞昌氏は若い頃、性格が悪いと言われていたそうです。私はそのとき一緒に仕事をしていないので、本当のところはわかりませんが、今は性格の悪さなど微塵も感じさせません。現在の自分の状況を「蘇貞昌２・０」と自ら呼ぶように、きっと年齢を重ねて変わってきたのでしょう。

台湾で教育や健康の話をすると、それは「誰も置き去りにしない」というインクルージョンの考え方につながっていきます。

インクルージョンとは「包括」という意味ですが、大多数の人たちがよければよいとするのではなく、理想としてはすべての人の利益になることを目指す考え方です。前述したとおり、台湾は国民皆保険制度である「全民健康保険」が一九九五年から施行され、毎月安価な保険料を支払うことで、誰もが高水準の医療を受けられるようになっています。なぜならば、「自分の健康は他のすべての人の共同責任である」と考えるからです。

台湾では今、離島や多くの先住民族の住む地域に医療体制の充実を拡張し続けています。そのために、先ほど述べたように台東の田舎のほうで5Gインフラの設置を進めています。教育の面でも医療資源へのアクセスの面でも、地域の人々が都市に住む人たちと同じ機会を得られるようにする必要があると考えているためです。その点で、台湾のセーフティーネットはかなりうまくいっていると思います。

起業したり自分が追求したいことを行おうとすれば、当然リスクを伴いますし、必ずうまくいくという保証はありません。ただ、たとえ失敗したとしても、少なくとも自分の健康や子供の教育が犠牲になることは絶対にないというのが、現在の台湾社会です。少なくとも、ここ十五年はこういった堅実な社会が定着しています。

何事もそうですが、強いプレッシャーの下で競争を強いられると、相手に丁寧に接する余裕がなくなります。つまり、自分の精神の安定が失われてしまうのです。それは資本主義社会における競争原理の弊害とも言えるでしょう。自分の精神が健全で安定していれば、自然とスマートで礼儀正しい人間になれる。そういう余裕のある社会を台湾は目指しています。そのためにデジタルを積極的に有効活用していこうとしているのです。

第二章

AUDREY TANG
THE FUTURE OF DIGITAL INNOVATION

公益の実現を目指して

私を作ってきたもの

私の家族、そして日本との関わり

私は現在、台湾の行政院において、「デジタル担当政務委員」という職責を担っています。私は別に政治家を目指してきたわけではありません。ただ、以前から公共の仕事に興味があったので、その実現のためにこれまでプログラマーとして培ってきた自分の経験を、政府の仕事に活かしていくことも面白いのではないかと考えたのです。

では、どうして私が公共の仕事に関心を持つようになったのか。その答えはおそらく私自身のこれまでの生き方にあるのかもしれません。そこで、私が現在関わっている仕事について述べる前に、これまで自分自身が歩んできた道について少しお伝えしておきたいと思います。

まず家族の話からです。私の父方の祖母は、台湾中部の鹿港（ルーガン）出身で、日本統治時代（一八九五～一九四五年）の教育を受けました。そのため、当時は日本名を名乗り、今でも日本語を話すことができます。一方、父方の祖父は中国の四川省の隆昌（りゅうしょう）出身で、日本統治時代が終わった後に国民党軍とともに台湾に移ってきました。彼は祖母とは別の意味で日本人と関わりを持ちました。それは抗日戦争（一九三七～一九四五年）の記憶です。

祖父は、主にレーダーを扱う軍曹として長い間空軍にいました。英語を学ぶのが早かったので、若くてもレーダー機器を操作することができたのだそうです。その後も偵察の任務に就いて、一九五八年の823砲戦（現在台湾が実効支配する福建省の金門島で勃発した国民党軍と共産党軍の戦闘）のときには、防衛任務に就いていたと聞きました。

一方、祖母の家は、台湾の鹿港で文開書院という私塾のようなものを経営していました。この文開書院の建物は現存していて、現在は県指定の旧蹟になっています。一方、祖父は四川の農家出身なので、二人の日本に対する感情はまったく異なると考えるべきでしょう。会話をするにしても、祖母は日本語か台湾語、祖父は中国語しかできなかったはずですが、お互い漢字を読めるので、恋文のやり取りのほうがコミュニケーションはとれていただろうと思います。

本来であれば、大陸と台湾という離れた場所で生まれ育った二人の人生が交錯することはなかったはずですが、歴史の大きなうねりの中で、奇しくも台湾で出会い、共に暮らすことになったわけです。祖父は口数の少ない人でしたが、よく詩を書いていました。その詩を読むと、彼が四川にいる家族に思いを馳せていることがよくわかります。

私の記憶にある限り、祖父母はとても仲が良く、二人とも敬虔（けいけん）なカトリック信者でした。共通の信仰を持っていることが二人を結びつけた理由の一つかもしれません。

現在、私の家族は全員、台北の北部に位置する淡水(たんすい)の新しく開発されたエリアに住んでいます。私の生家は老梅(ラオメイ)にある、いわゆる「外省人村」（戦後、中国大陸から台湾へ移り住んだ人々が集まって暮らした集落）ですが、そこが取り壊しになったので「淡海新市鎮」と呼ばれるエリアに移ったのです。以前は非常に交通が不便な場所でしたが、今はライトレールも開通してだんだんアクセスが良くなっています。

私は二週間に一度、淡水の実家に帰るようにしていますが、仕事などで行くことができない場合はテレビ電話で家族と話します。父方の祖父はすでに亡くなりましたが、祖母はまだ元気です。母方の祖母は元気ですが、祖父は最近亡くなりました。しかしながら、長寿で百歳を越していました。

家族が淡水へ移った頃、私はすでに成人していましたので、小さい頃の記憶にあるのは、老梅の外省人村の風景です。老梅は淡水からそれほど遠い場所ではなく、北海岸の富貴角(ふうきかく)灯台のそばにあります。以前は、夏休みになると決まってそこへ帰っていました。父や同じ世代の人たちは外省人村で育ちましたが、私自身は外省人村に住んだことはなく、夏休みの思い出くらいしか残っていません。

以前、祖母が妹と一緒に日本へ旅行に行くことになり、祖父も誘ったのですが、結局行くことはありませんでした。祖父はとても優しい人だったので、戦争中の記憶から日本を拒絶するようなことはなかったと思います。彼自身の中に日本に対する何らかのネガティブな感情はあったかもしれませんが、それを孫や子供に植えつけるということを決してする人ではありませんでした。

私自身は、これまで何度も日本を訪れています。初めて行ったのは旅行ではなく、『マジック：ザ・ギャザリング』というカードゲームの大会に参加するためでした。一九九八年の七月二六～二七日の二日間、東京でアジア大会が開かれたときに初めて日本を訪れました。ちなみにその大会における私の成績はアジア八位でした。

両親は、私が日本に行くのは問題ないという考えでした。彼らは自由主義の洗礼を受けていましたので、日本を排斥することは決してありませんでした。そのような家庭なので、父の姉の娘、つまり私の従姉妹の夫は日本人です。日本人と結婚することも、私たち一族ではまったく問題のないことでした。

両親から学んだクリティカルシンキングとクリエイティブシンキング

私の両親はともに『中国時報』という台湾の新聞社で働いていたこともあり、知的かつ進歩的なところがありました。とくに父は読書家で、家には様々な種類の本がありました。私は父の書斎に出入りして、そこにある本を自由に読むことができ、父もそれをとがめるようなことはありませんでした。

父は、私が小さい頃から「ソクラテス式問答法（対話を重ね、相手の答えに含まれる矛盾を指摘して相手に無知を自覚させることにより、真理の認識に導く方法）」を応用して、私と対話を行いました。父は私の意見を否定せず、私に何の概念も植えつけようとしませんでした。あるとすれば、それは「誰からも概念を植えつけられるな」という概念だったと思います。よく言われるクリティカルシンキング、批判的思考法です。

批判的思考法というと、人を単に批判することのように捉える人がいますが、実はまったく異なります。「クリティカル」とは、決して相手を批判するのではなく、自分の思考に対して「証拠に基づき論理的かつ偏りなく捉えるとともに、推論過程を意識的に吟味する反省的な思考法」という意味です。要するに、クリティカルシンキングとは、物事をクリアに捉えるための思考法なのです。父はこのような考え方で私を教育していました。

これに対して、母はクリエイティブシンキングを重視していました。クリエイティブシンキングとは、「既存の型や分類にとらわれずに自分の方向性を見つけていく」思考法です。

母が教えてくれたのはこういうことです。私の考えがたとえ個人的なものであっても、その内容を言語で明確に説明することができれば、同じ考えを持った人に必ずめぐり会うことができる。すると、私が考えたり説明したりしたことは、単なる個人的な考えではなく、公共性のある考えになり、同じ考えや感覚を持つ人が「どうすれば、よりよい生活を送れるか」をともに考えるきっかけになる。いわゆるアドボカシー（社会的弱者の権利や主張を擁護、代弁すること）に発展するというのです。

このように、両親はともに「子供の探求心を抑えつけてはいけない」という強いポリシーを持って、私を育ててくれました。

父は、私に「標準的な答え」を与えようとはしませんでしたし、そんな答えがそもそも存在すると思っていなかったようです。あらゆる思考の機会で、一見標準的な答えのように見える場合、そこには必ずいくつかの前提条件が必要であって、その条件を満たしている場合にのみ、「標準的な答え」が有効となると、父は考えていました。

このように、前提条件が変わっているのに、いつまでも古い考えにしがみついているとすれば、そこにはクリティカルシンキングは存在しないということになります。しかし、前提条件が変わったときに、今まで慣れ親しんできた考え方を手放して、新しい考え方を得るにはどうしたらいいでしょうか。

そんなときは、周りの人の気持ちにもっと注意を払うべきなのです。多くの人が「この方法であれば、受け入れられる」というものがあれば、新たな領域に踏み出す一つの方向性となります。もし誰かが「こうした方向には進みたくない、これは好きではない」と述べた場合は、これらの考え方もまた考慮に入れる必要があるでしょう。それにより最終的にみんなが受け入れられる方向に向かって新しい解決方法を創造していく。これが私の考えるクリエイティブシンキングです。

「古いものに対する考えから、現在の私たちが注意を払うことで新しい方向性を導き、未来に向けた新しい考えを提示する」という一連の流れは、様々な事柄に対して標準的な答えに囚われないための方法でしょう。父はこのようなスキームで思考をしていましたので、私も物心ついたときから自然とこの手法で物事を討論してきました。それが私の自立心を育んだのでしょう。

たとえば、今回の新型コロナウイルスは、今まで誰も見たことのない新しいパンデミックウイルスです。二〇〇三年に流行したＳＡＲＳのバージョン２・０とも言えますが、当然ながらＳＡＲＳ１・０と同じではありません。したがって、両者を同じものであるかのように扱うのは、誤りです。

その一方で、常に柔軟にウイルスへの対応を変えていく必要があります。「マスクを着用する」「物を触った手で口を触らない」「石鹸で手を洗う」――これらのコンセンサスは広報する必要がありますが、そうしているうちに私たちは新型コロナウイルスの性質を理解していきます。このようにして新しい常識がゆっくりと広まっていくのです。

重要なのは、このウイルスへの理解が増していく中にあっては、ＳＡＲＳに対するような、以前から知られていた標準的な答えはまったく参考にならないということです。なぜなら、新型コロナウイルスはＳＡＲＳとはまったく異なるウイルスだからです。その意味で、今回のパンデミックは、人類が古い考えを捨てて新たな考え方を得るために、全世界で一斉に行われた一つの試験のようなものであったように思います。

すべての始まりとなった「プロジェクト・グーテンベルク」との出会い

一九九三年、十二歳のとき、私はインターネットと出会いました。そのきっかけは当時、台湾大学にいた劉燈（りゅうとう）という友人です。大学には学術用のネットがあって、彼がアカウントを貸してくれたのです。だから私は、自宅からモデム（コンピュータが他のコンピュータと通信できるようにする装置）を接続するだけでネットを使うことができました。モデムは父が買ってくれたもので、モジュラーに差し込んでおけば電話回線を介して他のパソコンと通信することができました。

この台湾大学の学術ネットワークを通じて、私は世界的な古典の電子化公開運動に関与することになりました。これが「プロジェクト・グーテンベルク」との出合いです。これは、著者の死後一定期間が経過して著作権の切れた名作などを全文電子化して、インターネット上で公開するというプロジェクトです。

当時、私が学校で読んでいた本はすべて、外国書籍の翻訳版でした。私はこれらの原書を読んでみたいと思っていましたが、必ず入手できるわけではありません。そんなとき、ネットで「プロジェクト・グーテンベルク」が始まっていることを知ったのです。その中には無料でダウンロードできる作品も多かったので、それらの作品を電子書籍として読むようになりました。そのうちに私自身も「プロジェクト・グーテンベルク」運動に参加するようになったのです。

参加するためには、様々な方法があります。たとえば、「どの作品のどこに誤字脱字がありましたよ」と伝えるためのメールを書くのもプロジェクトに対する一つの貢献ですし、このプロジェクトの存在を宣伝することも、同じく一つの貢献です。もちろん、もともとの作品を一文字ずつ入力してデータ化していくことも大切な貢献なのですが、当時の私の英語力は作品データを打ち込む作業ができるほどのレベルではありませんでした。

では、私が「プロジェクト・グーテンベルク」で具体的にどんな貢献をしたかといえば、中国語における繁体字（台湾や香港で使われている正字体）と簡体字（中国大陸で使われている略字体）を相互に自動変換できるようにしたことです。

当時、多くのネット上のコンテンツでは、中国語コンテンツであっても、必ずしも繁体字版と簡体字版の両方が提供されていたわけではありませんでした。そこで私は、もともとのコンテンツが簡体字版であれば自動的に繁体字版に変換されるような、またその逆も可能なプログラムを書いたのです。これが「プロジェクト・グーテンベルク」における私の代表的な貢献です。

この私自身が作った「Han convert」というプログラムは、その後も多くの人々の手によって、より使い勝手が良くなるような改変作業が進められています。その後、「Open CC」という別の漢字変換プロジェクトも生まれました。実際には「Open CC」のほうが「Han convert」よりもずっと進化していったので、私自身の興味も他の方向に移っていきました。現在では私を含む多くの人が「Open CC」を使っています。

このように、プログラミングとは、他の誰かが先に作り上げたアイデアを自分のニーズに合わせて少しずつ改変して適応させていくことです。これは文章を書く行為に似ています。たとえば、文章を書く前には関連するあらゆる資料を読み込んでから書き始めます。だから、自分がオリジナルで作り出したものは自分自身の視点という部分だけです。使っている単語はそもそも辞書の中にすでに存在していたものですし、私たちがゼロから作り上げたわけではありません。

もちろん、新しい言語を創造することは可能でしょう。しかし、自分が創り出した言語と現在私たちが使っている言語をリンクする方法を考え出さなければ、創造させる意味がありません。リンクさせなければ、新しい言語を学ぶ方法も翻訳する手立てもないからです。自分一人だけしか使えない言語を創っても、他言語との間でコミュニケーションを図れなければ、言語として存在する価値はありません。

「プロジェクト・グーテンベルク」では、そのようにみんなでプログラムをより良いものにしていくという面白さも学びました。この「プロジェクト・グーテンベルク」との出合いが、私にとってすべての始まりになりました。人種や国籍、年齢、性別もわからない誰かと目的を共有する中で、私は自らの居場所を見出すことができたのです。

十四歳で学校を離れ、ネットで自主学習を始める

私は生まれつき「心室中隔欠損症（しんしつちゅうかくけっそんしょう）」という心臓の病気を持っていたこともあり、体が弱く、感情が高ぶってしまうと顔色が紫に変色して、卒倒してしまうこともありました。身体的に怒るということができず、学校での集団生活になじむことができませんでした。小学二

年生のときにはいじめに遭ったこともありますし、私自身の性格的な問題もあって、学校でうまくいかないことも多く、その都度転校をしました。その結果、私は三つの幼稚園と六つの小学校に通いました。中学校には一年間だけ通いましたが、最終的には十四歳で中退することになりました。

十四歳で学校を離れる前、前述したとおり、私は家族の同意を得て台北市郊外の烏来に行き、静かな環境で過ごしました。そこでこれからどうするかについて一人で考えたのです。

当時、私は全台湾の小中高生が参加する「全国中学生科学技術展」というコンクールの応用科学部門で一位を取っていて、自分の好きな高校に無受験で進学できる権利を得ていました。行きたい高校がなかったわけではないのですが、私はすでにインターネットを利用して自らの興味に従って研究を進めていました。

当時、私が研究していたのはＡＩやＡＩの自然言語処理に関する最先端技術でした。その研究過程で多くの研究者と出会い、インターネットを介して対話をしていました。そのため、学校の授業で学ぶ内容がウェブで学べる最先端の知識よりも十年ほど遅れていることにすぐ気づきました。それならば学校へ行くより、直接ウェブから学べばいいのではないかと考えるようになったのです。

その頃の友人は皆、私よりも五歳から十歳も年上でした。そのため、それぞれ違った人生の提案をしてくれました。「高校に行くべきだ」と言ってくれた友人もいれば、「海外に行くべきだ」とアドバイスしてくれた友人もいました。意見はバラバラだったので、一つに集約させるのは難しく、私は皆に「もらったアドバイスを参考にするから」とだけ告げました。

全部で二十人が意見を聞かせてくれました。各自が私にとって何が最善の利益になるかを考えてアドバイスしてくれたのです。それは私にとって最良のスタートだったと思います。ただ、彼らは皆、成長の過程で一種の制限を受けていました。というのも、彼らが育った時代には、まだインターネットが存在していなかったからです。そのため私は、彼らのアドバイスがどの程度参考になるか、自分で決めるしかありませんでした。

しかし、一人のアドバイスを考慮し、また別の誰かの話を聞くということばかりしていては、集中して物事を考えることができません。そこで、私は「中学を退学して、独学で学びたい」という自分の考えを、当時の中学の校長先生に率直に打ち明けたのです。

校長先生は最初、「あなたが憧れるアメリカの有名大学の教授たちと一緒に仕事をするには良い大学に入らなくてはいけないし、そのためにも良い高校に行く必要がある。あと十年は学校で勉強するべきだ」と言いました。

しかし、先に述べたように、私はインターネットを通じて、すでにそうした教授たちともやりとりをしていました。研究に関する私と彼らのメールでのやりとりを校長先生に見せて、

「もうすでに教授たちとは一緒に仕事をしています。毎日学校に行っていたら、自分の研究時間が減ってしまいます。それでも私は高校へ進学するべきでしょうか」と尋ねました。

「中学を中退したい」という私の要望を受け入れれば、校長先生に罰則が科せられることになります。当時は飛び級に関する法律がなく、中学は義務教育なので、校長先生が私の意見を受け入れることは法律に違反する行為だったのです。その一方で、私は校長先生が教育局の圧力をはね返すために私を支援してくれることを秘かに期待していました。

校長先生は私の話を聞いて一～二分じっと黙っていましたが、最後に口を開いてこう言いました。

「明日からもう学校に来なくていいよ。あとは私が何とかするから」

これはもう時効になった今だからお話しできることですが、校長先生は教育局の監査が入ったときも、あたかも私が学校に来ているように見せることで私を守ってくれました。その嘘のおかげで、私は学校に行かずとも、自分のペースでネット学習をすることができたのです。

中学を退学することについて、母は最初から賛成でしたが、父は反対しました。しかし、家族は校長先生を尊敬しており、その校長先生が「大丈夫」と言ったので父は何も言いませんでした。あとで聞いたところでは、父は校長がそのような考え方を受け入れてくれるかどうかを確認したかっただけだったそうです。私の考えを支援してくださった校長先生には、心から感謝しています。

AI推論とウィトゲンシュタインの哲学

初めてAIに出会ったのもこの頃でした。先に挙げた「全国中学生科学技術展」のテーマが「論理的推論」で、「世界の事情について記述し、その内容について自分自身で論理的な推論をして、論理的な結論を導き出しなさい」という問題が出されました。ここで初めてAI推論のことを知り、興味を抱きました。ちなみに、このときの私の作品は「Arithmetic 圧縮演算法の実践について」というものでした。

AI推論に興味を持ったのは、子供の頃から数学が好きだったからですが、私は書くスピードが遅いので計算に時間がかかり、あまり好きではありませんでした。でも、後にパソコンにそうした面倒な部分を代行させることで、計算が早く済むことに気がつきました。そのとき、「数学の原理だけを学べばいい」と確信したのです。証明などは自分で行わずにコンピュータにやらせればいいじゃないか、と。

これをたとえるなら自転車のようなものです。どちらに進むか、いつペダルを踏むかを決めれば、あとは自転車の動きに任せてしまえばいいのです。この一歩一歩ペダルを踏み込むごとにさらに先に進んで行けるような感じが、スティーブ・ジョブズの「精神的な自転車」（道具を使えば、目的をより早く、より簡単に達成できること）のようでした。

中学生の頃、一冊の本と出合いました。オーストリアの思想家ルートヴィヒ・ウィトゲンシュタインの『論理哲学論考』です。その中に推論の基本が述べられています。ただ、基本的な原理は「真理表」と呼ばれる表を何枚も描かなければならず、手作業で行うのは、正直、面倒です。そこで私は、こうした面倒な部分を全部コンピュータに作業させることを思いつきました。

たとえば、私がコンピュータに「人は必ず死ぬ、ソクラテスは人だ」という前提を入力すれば、コンピュータは「ゆえにソクラテスは必ず死ぬ」という推論結果を導き出してくれます。これは最も基礎的な三段論法ですが、ここから多くの論理的推論を行うことができます。このように数学者が証明を行うのを支援することもできることに気づいて、私はＡＩ推論にどんどん興味を持つようになっていきました。

私はウィトゲンシュタインから強い影響を受けました。彼の哲学思想は、前期と後期に分けられます。前期における主要な思想は『論理哲学論考』にまとめられていますが、そこからウィーン学派や認知科学などの考えが生み出されました。後期の思想は、「言語ゲーム論」

と呼ばれ、言語の意味を特定のゲームにおける機能として理解すべきというものです。

彼の思想は、非常に独特なアイデアから構築されています。比較的初期のＡＩが反復学習に終始したり、専門家に限られたシステムだったのは、前期のウィトゲンシュタインの思想と類似しています。ウィトゲンシュタインの後期の著作では、言語の意味は必ずしもその文章の構造によって決まるのではなく、社会における実際の使われ方に依存していると指摘しています。ＡＩというものの意義が、この社会においてただ単純に定まるというのではなく、やはり「人間による使われ方によって、ＡＩの存在意義というものが変わってくる」という考え方は、後期ウィトゲンシュタインの思想と類似するものといえるかもしれません。

私がウィトゲンシュタインから影響を受けたのは、まず彼の言葉の使い方です。私は「言葉の使い方」について、その言葉がどんな意味を伝えるのか、一つの単語がいったいどのような意味を伝達するのかを、非常に厳格に捉えています。言葉の使い方次第で、まるで一つひとつの単語の概念がそれぞれの役割を変えていくかのように変わっていくからです。そして、それらは論理関係を通じて連結しますが、この連結の方式もまた固定されているわけではありません。その時々の実際の状況に合わせ、まるで絵を描くように世界の真実の状態を反映させていきます。

これは論理的に示される「picture」のようなものです。文字どおり、写真と同じです。

写真はその瞬間の一つの状態や一つの角度しか捉えることができませんが、少なくともその角度からは、見たものや考えていることをできるだけ正確に写し出すことができます。こうしたことを、私は『論理哲学論考』から学びました。

十五歳で起業、十八歳でアメリカに渡る

十四歳で学校から離れた私は、自己学習を続けながら起業を目指しました。最初に起業をしたのは、十五歳のときです。「資訊人文化事業公司」という出版社を創業し、自分で本を執筆して出版しました。その後、その会社は出版業からソフトウェアを開発する会社に変わりました。

私は会社のテクニカルディレクターになり、三分の一程度の株を持ちました（実際は十五歳で株を保有することができないので、母が代わりに所有）。この会社から受け取った月給が、私が生まれて初めてもらった給料でした。確か月に五万台湾元だったと記憶しています。その後、その会社は海外に投資をしたりして国際展開も行いましたが、その頃、私は会社から離れていました。

十八～十九歳の頃にアメリカに渡り、シリコンバレーで起業しました。シリコンバレーで

は当時、フリーソフトウェア運動から派生したオープンソース運動が始まっていました。オープンソースがフリーソフトウェアと違っていたのは、デジタル技術を用いる個人の基本的人権を認めていたことです。両者は似通ったことを主張していましたが、オープンソースのポイントは「みんなで一緒にオープンの場で開発を進めていく」ことにあります。お互いの成果をシェアすることで、個人が必要とするコストは低下します。そのため、誰でも参加しやすかったのです。

私もオープンソース運動に参加しました。具体的には、運動の基本理念を中国語に訳して紹介したり、ネット上で呼びかけた参加者を説得して運動に参加させるような活動をしていました。

二〇〇一年から二〇〇二年にかけて、私が立ち上げたソフトウェア会社は「捜尋快手（FusionSearch）」という検索をアシストするソフトウェアを開発しました。このソフトは三～四年の間に全世界で約八百万セット販売されました。当時、台湾の中央研究院（政府直属の学術機関）にも購入してもらい、フリーソフトウェアのファウンドリ（受託生産会社）となったのですが、今にして思えば、これは私にとって初めて政府と関わった仕事でした。

当時、これらの案件を担当していたのは、李徳財（りとくざい）氏（計算幾何学が専門、元ノースウエスタン大学教授）や河建明（かけんめい）氏（元中央研究院情報研究所副所長）といった先生方で、今も仕事を通じて連絡を取り合っています。

私がシリコンバレーにいたのは半年くらいでした。私の目的は運用のモデルを探すことだったので、そのモデルさえ見つけてしまえば、あとはどこにいるかは大して重要ではなかったのです。

三十三歳でビジネスから引退し、Siriの開発に参画する

私は三十三歳でビジネスの現場から引退し、そのあとはアップルやオックスフォード出版、台湾の大手ＩＴ機器メーカーBenQなどのデジタル顧問を務めました。

アップルで私が在籍したのは「クラウド・サービス・ローカリゼーション（Cloud Service Localization）」という部門です。そこでクラウドをローカライズさせる、つまり製品を外国でも使えるように外国の原語に対応させる仕事をしていました。

私が参画したとき、iPhoneやiPadなどのアップル製品に搭載されている音声アシスタントSiriは、英語しか話すことができませんでした。しかし、私が退職する頃にはいろいろな言語を話すことができるようになっていました。

退職前の最後のプロジェクトは、Siriに上海語を話させることでしたが、ちょうどその頃

行政院に関わるようになったので、このプロジェクトには完全に参加したわけではありません。ただ、上海語の大きな辞書を開いてスキャンしていたことを、今でもとても鮮明に記憶しています。私は上海語を話すことができないので、いわば泳げない人が水泳のコーチを行っているようなものでした。

初めてMacを購入したとき、セットアップをしていると「情報をシェアしますか」と聞かれると思います。シェアするのが嫌ならばSiriは機器上であなたと会話をするだけですが、シェアしてもいいのならSiriは自身が学んだ単語をクラウドに送り、他のSiriとの間で情報を共有します。

この場合、Siriは人間が話すのを聞いて、機器上で理解できるかどうかを判断します。自らが理解できればすぐに返答しますが、専門用語などで理解できないと、Siriは自分が新しい単語を学習したことをクラウドに知らせ、他のSiriとデータの共有を図ります。日本のアニメ『攻殻機動隊』の中に出てくるＡＩを搭載した多脚戦車「タチコマ」と同様に、各自が持っているSiriが新しい単語を学習すれば、それをシェアする仕組みになっているわけです。

私は、このようなSiriのプロジェクトを支援していました。それ以外には、MacやiPhoneに内蔵されている繁体字中国語の辞書をアップルのシステムに取り込むことも行いましたが、この仕事は私がほとんど行ったものです。それ以外にもたくさんのことを行いましたが、全般的にはシステムに多言語を取り込む作業の支援をしていました。

こうした仕事のキャリアは、現在の仕事にも直接的・間接的につながっています。

柄谷行人の「交換モデルX」から受けた大きな影響

私が現在興味を持っていることの一つは、日本の哲学者であり文芸評論家でもある柄谷行人（からたにこうじん）さんが唱えている「交換モデルX」をデジタルの力で実現できないだろうかということです。

私は柄谷さんの思想に強い影響を受けています。たとえば、『トランスクリティーク――カントとマルクス』は、カントの視点からマルクスを、マルクスの視点からカントを見たものですが、私に大きな影響を与えた作品です。

彼は多くの考えを持っていて、とくに『トランスクリティーク』に続いて刊行された『世界史の構造』などに出てくる「交換モデルX」という概念は、間違いなく私に大きな影響を与えています。少し説明すると、柄谷さんが言っている交換モデルXとは、家庭のような無償の関係の交換モデルA、上司と部下のような上下関係のB、政府内部あるいは不特定多数の人たちが対価で交換する市場のような関係のC、これら三種類に属さない四つ目の交換モデルを指しています。これは開放的な方法で、不特定多数の人々を対象としつつ、「家族のように何か手伝いを必要とすれば、見返りを求めずに助ける」という交換モデルです（図表3）。

二〇一四年と二〇一五年に台湾でイベントがあり、柄谷さんとお会いする機会がありました。話をしていて、私たちの視点が似ていたことがとてもうれしかったのですが、柄谷さんが彼自身の角度からこれまでの哲学者について整理してくれたのは、私にはとても参考になりました。

柄谷さんの交換モデルに関する基本的な考え方というのは、次のようなものです。

「交換」ということを考えるとき、二つの方向性があります。一つは知り合いと交換するか、見知らぬ人と交換するかという方向性であり、もう一つは交換の中で見返りの関係になるかどうかという方向性です。見返りの関係とは、相手から何かもらうことで自分も相手に与えるような等価交換の関係です。見返りの関係にならない交換には、無償で交換するとか、自由に分け合うというパターンがあります。すると、次のように二つの方向性で四種類の交換モデルが生まれることになります。

図表３　柄谷行人の「交換様式X」

B 再分配（略取と再分配）	A 互酬（贈与と返礼）
C 商品交換（貨幣と商品）	D X

出所：柄谷行人著『世界史の構造』（岩波書店）

Ⓐ知り合いと見返りの関係にならずに交換するパターン
Ⓑ知り合いと見返りの関係になって交換するパターン
Ⓒ見知らぬ人と見返りの関係になって交換するパターン
Ⓓ見知らぬ人と見返りの関係にならずに交換するパターン

たとえば、「知り合いとしか交換しないけれど、自由に交換する」（前記のⒶ）というのは、家族です。家族であれば間違いなくお互いを知っていますし、助けが必要となれば手を差し伸べるでしょう。このパターンは、「助けてあげるから、あとで見返りを求める」という関係ではありません。その点でクローズドな交換ですが、対価のない交換です。

同じように「クローズドなモデルだけれど、見返りのある」交換もあります（前記のⒷ）。それは国家や政府のようなものを考えればいいでしょう。納税をすることによって国家や政府は私たちにインフラやサービスなどを交換で提供します。これは従来までの国家の概念で、この交換システムに参加できるのは、国民あるいは市民という知り合いに限られることになります。

次に「不特定の会ったこともない人と見返りを伴って交換する」パターン（前記のⒸ）ですが、これは市場を考えるとわかりやすいでしょう。あなたがもし何かを売ろうと店を開くと、相手が国民だろうと家族だろうと、お金を持って買いに来た場合、商品を売るでしょう。この場合、ある種のオープンな交換になります。

そこで柄谷さんは問いかけます。不特定の人に対価を求めるわけではなく、無償で分け与えたいとすると、これはどんなモデルだろうか。これは「オープンで、かつ無償の交換を行う」というパターンですが、このモデルには名前が存在しません。柄谷さんはこれをXと名づけました。これが交換のXモデルです（前記のⒹ）。

私は柄谷さんに、「イーサリアムやビットコインのように世界中の不特定多数の人々が組織化し、そのプラットフォーム上で交換が行われる暗号通貨などのような新しい分散型交換モデルは、交換モデルＸの実現と捉えてよいのか」と尋ねました。これについて柄谷さんは、地域通貨や自分が考えている通貨発行のシステムなどを交えて答えてくださいました。

つまり、こうした分散型の方向に進むことは決して悪いことではないけれど、相互信頼がない知らない人同士の交換システムの場合、基本的なシステムについてどのように信頼を得ていくかが重要な問題の一つになるというのです。

交換システムに参加する人たちがお互いに顔見知りで、少なくとも誰かの推薦で参加するのであれば、先ほど述べた「家族」という考え方を拡大すればいいのですが、知らない人との交換では「どのようにして信頼を担保するか」を解決しなければならないのです。

市場であれば、これは問題になりません。「交換が自由である」ということだけで、対等性も等価性も必要ないからです。

私が問題にしているのは、知識の交換のようなケースです。私が知識を誰かとシェアしたからといって、私の知識が失われるわけではありません。これは事実上、独占権のない無償の交換モデルですが、この場合、「私の知識をシェアした人が、その知識を用いて私の望まないことを行わない」という信頼関係が必要です。

その信頼関係をどのようにして構築するか。それはまだ完全には解決していない問題です。だからこそ、「この問題を先に解決してからでないとこの道を歩み続けることはできない」

と柄谷さんは言うのです。

デジタル空間とは「未来のあらゆる可能性を考えるための実験場所」

実際のところ、こうした「無償」という概念は、仏教あるいは他の宗教などでも謳われています。ほかにも、これと似たような概念を見つけようと思えば見つけられるでしょう。無償であるというのは、ある種の「信仰」と関係しているとも言えるからです。

しかし、柄谷さんは「無償」という概念を決して一種の宗教や信仰とするのではなく、純粋に交換モデルとして分析しています。つまり、「無償と交換の関係はどのようなものなのか」ということですが、たとえばそれは、私が何もかも無償であらゆる人に提供するのを見たあなたが、その行為に同意してくれて、あなたもまた同様の行為をするようなことです。つまり、完全に自発的な行為です。

このような人間性に基づいた信頼関係は成立するでしょうか。もちろん、それは可能だと思います。見ず知らずの人であっても、何度か話をしているうちにだんだん打ち解けてくるというのは、とても自然なことでしょう。

交換モデルXの概念は、「みんなとシェアする過程で、あらゆる人とお互いの信頼関係を築いていく」というものです。一般的には「まず相互の信頼を得てからシェアをする」という順番ですから、ベクトルは正反対です。

たとえば、百科事典の制作は、まず編集されてから出版されるという順番でしたが、ウィキペディアは先に内容を公開し、その内容に意見のある人があとから加筆修正などの編集を加えていくというスタイルです。これまでのやり方とはベクトルが逆転しているわけです。

このベクトルの逆転をどう分析するか。交換モデルXという観点から分析すると、それも一つのやり方であるということです。ウィキペディアでは、「こうすればもっと良い」とか「どうすればより応用が利く」というようなことは言いません。そんな言い方は「市場は自由でなければいけない」と言っているのと同じだからです。

柄谷さんがこれまでの社会について言っているのは、たとえば市場であれば、一般的には「自由」という価値が必要であるということでした。ただ、この近代資本主義社会では、自由の理念と平等の理念は両立しませんし、家族のような自由・平等・友愛という価値についてては、まだ名前がつけられていません。だからこその〝X〟なのです。

Xは自由・平等・友愛を補完するものかもしれませんが、だからといって自由・平等・友愛の重要性を否定するわけではなく、新しい可能性であると言っているわけです。

柄谷さんが使っている哲学的な言語は、私が世界を理解するために最も頻繁に使う言語です。彼が引用しているカントやマルクスなど関連する哲学者の書籍は、私も若い頃にほとんど読みましたし、彼がよく引用する後期のフロイトにも強く興味を抱いています。柄谷さんの使う概念は、私にとっては非常に身近なもので、母語のような感じさえします。

私は、『ラディカル・マーケット 脱・私有財産の世紀』の著者グレン・ワイル氏とともに、ニューヨークでRadicalxChange 財団を設立しました。このワイル氏の思想も柄谷さんと同じ思想の流れにあるといえます。彼はもともと経済学者でしたが、経済学とは「既存の資源をどう分配するか」ではなく、「人々が協力してより多くの価値を生み出すためにはどうすればいいか」を考えることであると言っています。これは柄谷さんと同じ考え方です。

資源に限りがあると考えるならば、それを奪い合うことになり、誰かがより多く手に入れ、誰かがより少ないという問題にしかなりません。しかし、人々が協力することで、より多くの価値を生み出す方法をワイル氏は模索しています。柄谷さんの交換モデルXは「必要なときにはより多くの価値を生み出すことができる」という意味で、ワイル氏と同じことを主張しているのです。

ここで述べた内容も、広い意味ではデジタルに関わるものです。私は柄谷さんの交換モデルXは、デジタルを使えば実現できるのではないかと考えています。RadicalxChange などのアイデアは、おそらくイーサリアムのようなブロックチェーンコミュニティで最初に使われることになるでしょう。

デジタル上で交換モデルXが実現することがわかれば、それを現実の政治面に応用することができるかもしれません。それが実現すれば、資源をめぐる争いもなくなる可能性があります。その先には、「公共の利益」というものを核として、資本主義に縛られない新しい民主主義が誕生するかもしれません。デジタル空間とは、そのような「未来のあらゆる可能性を考えるための実験場所」ではないかと私は思っています。

第三章

AUDREY TANG THE FUTURE OF DIGITAL INNOVATION

デジタル民主主義

国と国民が双方向で議論できる環境を整える

初めて政治と関わることになった「ひまわり学生運動」

私が初めて政治意識に目覚めたのは十一歳の頃です。父が政治学を学ぶためにドイツに行くことになったので、私も一年間、ドイツで生活をしました。

当時、父が研究対象としていた人たちは、中国の民主化運動に関わっていた人たちでした。一九八九年六月四日に天安門事件が起こったあと、ドイツには中国からの多くの亡命者が暮らしていました。彼らは帰る場所のない人たちでした。それでもヨーロッパで学業を続けていたのです。まだ二十歳を過ぎたくらいの若い人たちがたくさんいました。

天安門事件当時、私はまだ小学生でしたから、テレビニュースを通じて見ていただけです。しかし、学生たちの抗議やデモが突如武力によって弾圧されるのを見て、「平和的な抗議運動を戦車によって抑えつけるべきではない」という思いを抱きました。おそらく世界中のほとんどの人たちが同じような思いを持ったのではないでしょうか。

父は彼らを家に呼んで、よく議論をしていました。まだ中学生だった私は、オブザーバーのような立場で、リビングで行われている議論を聞いていました。様々な政治課題、異なる民主制度、そして最終的には「中国人は民主主義を成し遂げられるのか」などがよく交わされていたテーマでした。私自身が何か良い論点を提供できたわけではないのですが、参加者たちが様々な角度から熱心に議論していたのが印象として残っています。

父や友人たちが議論していたのは、台湾で野百合（のゆり）学生運動（三月学生運動。一九九〇年、台湾の民主化を求めた学生運動）が起こった頃で、この頃から台湾の人々は「民主主義」を認識し始めたように思います。「どうすれば、私たちの台湾は民主主義を実現できるのか」ということを考え始めたのです。

台湾では、国民党による独裁政治の時代が長く続きました。戒厳令が敷かれ、言論弾圧があり、民主化への道はまったく見えていませんでした。しかし、一九八七年に戒厳令が解除され、翌年に李登輝氏が総統に就任すると、様々な形で民主化の芽が出てきました。

その当時、大統領制にするか、それとも半大統領制か、あるいは内閣制か、といった議論がありました。これらは民主主義をよりスムーズに動作させるためのシステム作りの議論でしたが、私には、まるでプログラムを書いているように聞こえました。「こうすればもっとうまくいくよ」「こうすればもっとうまく設計できるよ」などと議論しているような感覚を抱いたのです。

私が政治と直接的に関わる最初のきっかけとなったのは、三十三歳になる直前、二〇一四年の三月に起こった「ひまわり学生運動」でした。当時、台湾と中国との間にサービス貿易協定を締結しようとした政府に対し、学生たちが異を唱え、議会との対話を求めて立法院（日本でいう国会）を約三週間、占拠したのです。

私は、幼いときに父と友人たちの議論を聞いていた経験から、「立法院を占拠した若者たちには、必ずや自分たちの主張があるのだろう」と確信していました。話を聞いていると、学生たちはもちろん、立法院の外で彼らを支援する二十以上の民間団体にも、それぞれの主張があり、どの主張にも説得力がありました。

そこで、私は学生たちが立てこもる立法院内の様子をg0v（gov-zero：オープン・ガバメントを追求し、政府に対して徹底した情報公開と透明化を求める台湾の民間団体）のメンバーとともにネットでライブ配信して、学生たちの運動を支援しました。私たちはライブカメラで立法院の中と外をつないで、二十の民間団体が人権・労務・環境問題などを話し合えるようにしました。そして、三週間で四つの要求をまとめて立法院の議長に提案しました。すると、当時の議長はその四つの要求が合理的なものであると認め、すべての要求に応えてくれたのです。

このときの経験により、台湾の人々は「デモとは、圧力や破壊行為ではなく、たくさんの人に様々な意見があることを示す行為である」ということに気づき、それをきっかけに、官民の間で対話の機会が増えました。「政治は国民が参加するからこそ前に進めるものなのだ」

と皆が実感するようになったのです。

私自身は、どれか一つの主張を選択するのではなく、それぞれの主張の隔たりを明確にして議論を活性化し、そこから共通の価値を見つけることを促すようにしました。これは現在、私が政治に関わるスタンスそのものであると言っていいでしょう。

そのような考え方に至った原点には、やはり十一歳の頃のドイツでの体験があるように思います。当時、二十代の友人やすでに四十代になっていた父は、私よりもはるかに多くのことを知っていました。彼らは私の先生であったと思っています。実際に私の立場からすると、彼らから学ぶことは非常に多く、それだけに「自分の考えこそが絶対に正しい」と思うこともなかったのです。

今振り返ると、ひまわり学生運動で立法院を占拠したことは、歴史的な「選択」だったのではないかと思います。当時の通信環境はまだ4Gでしたが、中国製のチップを台湾のメインコンピュータに入れるかどうかが問題になりました。あるいは、もっと大きなくくりで言うと、台湾のサービス貿易を全面的に中国に開放するかどうかということも含めて問題になっていました。その審議が不十分なまま議事が進められていることが、政府への不信感につながっていったのです。

もし、あのとき立法院占拠が行われず、サービス貿易協定が結ばれていたとすれば、台湾のネット環境は、中国の協力によって構築されることになっていたでしょう。そうなっていたら、アメリカは現在のように台湾に対する態度を変化させることはなかったと思います。アメリカからすれば、台湾は大中華圏の一部に過ぎないからです。あのとき、人々が立法院を占拠したからこそ、「台湾のインフラに中国は入れさせない」という明確な意思表示ができたのです。それを政治的基礎として、台湾とアメリカの対話が始まったのだと思います。

その意味で、二〇一四年の台湾人の決断は、非常に大きな転換点となるものでした。その年の末に行われた地方選挙では、非民主主義的な発言をした候補者、国民と議論しない候補者、民主主義を標榜しない候補者は、軒並み落選しました。その後の選挙でも、あらゆる候補者は、民主主義を標榜しないと当選できないようになっています。

そうした風潮が生まれたということも含め、ひまわり学生運動は、台湾に民主主義を根づかせるきっかけとなりました。

権力に縛られない「保守的なアナーキスト」という私の立場

日本のメディアにおいて、私はしばしば「保守的な無政府主義者」と表現されています。英語のアナーキスト（anarchist）を直訳して「無政府主義者」としているのかもしれませんが、私は無政府主義者ではありません。

無政府主義とアナーキズムは、同じではありません。私が考える「アナーキスト」とは、決して政府の存在そのものに反対しているのではないのです。政府が強迫や暴力といった方法を用いて人々を命令に従わせようとする仕組みに反対する。つまり、「権力に縛られない」という立場です。

アナーキストとしての私は、どんな場面であれ、「権力や強制といったものをどのように平和的に転換させればいいのか」「皆がお互いを理解し合った新しいイデオロギーに持っていくにはどうするのがいいのか」といったことに関心を持っています。もちろん、古くさい権威主義や上から目線の命令、高圧的な態度などにはまったく興味がありません。

たとえば、ある企業が強迫的な手段や暴力的手段によって社員を無理やり命令に従わせていたら、アナーキストはそのやり方を変えることを望むでしょうし、強迫や暴力的な手段により作られた階層にも反対します。

無政府うんぬんというよりも、命令などの強制力がないことが重要なのです。こうした強制力を伴う主従関係は、どんな場所にも存在し得るわけですから、政府の存在の有無とは無関係です。

だから、アナーキストを「無政府主義者」と言い換えることは、本来の意味を狭めることになってしまうと思います。

一方、「保守的」ということについて言えば、私の立場は、日本語の「保守」というより中国語の「持守（じしゅ）」に近いと思います。「持守」には「自分の意志を堅持する、貫く」といった意味があります。

たとえば、ベジタリアンになると宣言した人が、山海の珍味を目にしても見向きもしないのであれば、その人は自分のこだわりを貫き通したということです。また、修行者であれば戒律を守り、やってはいけないことは意志を貫き通してやらないというのが「持守」です。私もそういう「持守」という態度を大事にしています。

台湾には様々な文化がありますが、進歩に付随して文化自体が壊されてしまうケースがしばしば見られました。私がまだ小さい頃に、多くの人々は羅大佑（ルオダーヨウ）という歌手のヒット曲『鹿港小鎮』を聞いていたと記憶しています。この歌の中に「彼らは故郷のレンガを取り出し、コンクリートの壁にくっつける」という歌詞があります。コンクリートの壁が意味しているのは、経済の進歩と繁栄です。つまり、故郷の人々が望んだ進歩と繁栄を手に入れる代わりに、自分たちの文化を失ってしまったことを象徴的に表しているのです。これは「持守」とは言えません。彼らが保持している伝統文化を守ることができていないからです。

私の考える「持守」とは、様々な文化が一つか二つ前の世代から、次世代や次々世代まで途絶えることなく受け継がれていることです。進歩という理由で文化を壊したりせず、コンサバティズム（conservatism）という語の本来の意味である「伝統文化を守る」ことなのです。

今朝、私は仕事中に歌を歌いました。それはまさに羅大佑の『鹿港小鎮』でした。しかも今日は少し歌詞を変えて歌ってみました。というのも、私のオフィスのある社会創新実験センターで、歌詞にあるのとは正反対のことをしているからです。つまり、コンクリートの壁を取り壊し、代わりにレンガで囲いを作って公園を作っているのです。これは開発に伴う破壊ではありません。むしろ、いかに文化を守り抜くかということが、理解されてきたという証拠でしょう。

「保守」という言葉にはいろいろな解釈があります。「堅持するのに値する何かを守る」と解釈するのであれば、私を保守派と呼ぶのは正しいと言えます。しかし、「保守」は時に攻撃的な意味を持ちます。その意味で「他の人が新しい物事を試すことを許さない」と解釈するのであれば、私は保守派ではありません。

私が「持守」という言葉を使うのは、そこに攻撃的な意味合いが含まれていないからです。たとえばベジタリアンは、肉を食べている人を見ても「許せない」などとは思いません。ましてや「私は戒律を守っているのだから、みんなも肉を食べてはいけない」と、上から目線で命令するわけでもありません。

いわゆる保守派の中には「保守とは、自分の意識がどういうものかということであり、他人がどうこうという話ではない」という人もいます。しかし、そういうことでもありません。それは多元主義である反面、私が言う「持守」とは意味が異なります。

私は自分が守りたい伝統文化について確たる意識を持っています。そして、それを守るために多くの人を巻き込んで、なんとか実現したいと思って行動しています。「自分が守っていればいい。他人のことは知らないよ」というような傍観者的な態度でいるわけではないのです。

史上初の女性総統となった蔡英文と台湾政治の先進性

野百合学生運動から始まり、ひまわり学生運動によって進展した台湾の民主化の波は、止むことがありませんでした。それらの運動が生み出した一つの成果が、二〇一六年一月十六日に行われた総統選挙でした。この選挙で、民主進歩党（民進党）の蔡英文氏が圧倒的な得票を得て、台湾史上初めての女性総統に選出されたのです。

同年五月二十日、蔡氏は総統に就任し、政権が発足しました。蔡英文総統の誕生は、東アジア全体、さらにはアジア全体でも大きな出来事でした。伝統的に東アジアの女性が政府のトップになるためには、父親や夫が首相や大統領であるなど、政治的な家系の出身者であることが条件になってきました。これは現在でも同じような状況でしょう。しかし、蔡英文氏の家柄はそうではありません。彼女は自身の能力で民進党主席を務め、最終的には総統に選ばれたのです。その点で画期的な出来事であると同時に、台湾社会の先進性を世界にアピールすることにもつながったと思います。

現在の台湾の政治が先進的だといえる理由が二つあります。一つは、一九九六年に初めて総統直接選挙が行われたことです。当時すでにインターネットが存在していたので、人々が想像する民主主義は非常に多元的なものになっていました。つまり、「民主主義には定型化された運用方法は存在せず、一つのテクノロジーにすぎない」と皆が考えるようになったのです。

単なるテクノロジーであれば、使い勝手が悪ければ常によりよいものを求めてアップグレードすればいいわけです。実際、台湾の憲法（中華民国憲法）は、状況の変化に応じて、これまで何度も改正されています。これも「テクノロジーはアップグレードされなければならない」という考え方が根づいていることを証明していると思います。

そもそも台湾の憲法は、国民党独裁時代に、台湾とは比較にならないほど広大な中国大陸を統治することを意識して定められたものでした。それゆえに、台湾の状況の変化に応じて何度も改正されざるを得なかったのも事実です。しかし一方で、台湾の人々は「憲法は絶対にこうでなければならない」という感覚に縛られていません。これは大変重要なことだと思います。

台湾政治の先進性を示す第二の理由は、台湾の憲法に「政治への直接参加の精神」が謳われていることです。この「直接公民権」という概念は、もともと孫文(そんぶん)(中華民国創始者)の教えの中に含まれていて、現実的には憲法が常に改正されることが想定されています。片や代議制についてはほとんど触れられていません。

台湾の憲法はスイスを参考にしているため、決して純粋な共和代議制ではありません。そのため、いわゆるリコール権などが含まれている三民主義(民族主義・民権主義・民生主義)も、憲法が起草された当時、すでにかなり進んでいました。

この「政治への直接参加」と「常にアップグレードしていく」という二つのことが合わさって、台湾のフレキシブルで生き生きとした社会や政治体制が形成されているのだろうと私は考えています。

第二次世界大戦前、日本統治下の台湾では、自分たちの議会を組織し、教育制度を整え、参政権を求めて闘う台湾人がたくさんいました。「自分たちの意見や理念は自分たちで決めたい」と願ったことが、台湾には何度もあったと思います。ただ、その途上には戦争があり、あるいは白色テロ（第二次世界大戦後の国民党政権による言論弾圧）によって、人々は弾圧を受けました。

そうした弾圧があったから政治参加に対する台湾人の意識が高まったのかどうかを考えるのは歴史学者の仕事であり、私にはそうとは断言できません。しかし、そういう歴史があったから現在の台湾の政治があることは、明白な事実でしょう。

自分が何をしたいかではなく、人々が何を望んでいるかを考える

台湾におけるフレキシブルさの象徴が、李登輝総統時代の民主化であったと私は考えています。李登輝氏はまさに大きな役割を果たしました。当時の戒厳令下あるいは戒厳令解除後も、政府が国民の代わりに物事を決めていくという方式は変わりませんでしたが、李登輝氏は台湾の人々が何を欲しているかを常に考えていたと思います。決して「自分は何をしたいか」ではありません。

その態度を見れば、民間で民主化を求める声を上げた人たちも、おそらく天安門事件のときのように「武力によって鎮圧される」という不安は抱かなかったでしょう。李登輝氏が総統に就任した一九九〇年に起こった野百合学生運動では、多くの大学生が中正紀念堂（台北

市中心部にある蒋介石元総統を顕彰する施設）に座り込みました。学生たちは国民大会（当時、立法院とは別に存在した民意代表機関。現在は廃止）を改革したいと訴えていましたが、実は李登輝氏も同じような考えを持っていることがわかりました。「私はあなたたちより年上で様々な経験をしてきた。だから私の言うことを聞きなさい」というような高圧的な態度では決してなかったのです。

李登輝氏は学生たちと平等な立場に立って対話をしていたので、座り込みをしていた学生たちには、「自分たちが民主化のプロセスに参加している」という達成感がおそらくあったと思います。事態はそれほどすぐに改善したわけではないのですが、学生たちは少なくとも「自分が参加したことによって、少しずつ変化が起き始めた」という実感を持ったのだろうと思います。

この野百合学生運動に参加した若者の中から、その後、政治の世界に入った人たちは数多くいます。この運動から二〇一四年のひまわり学生運動まで、それぞれの時代に若者たちは「不公平を感じれば立ち上がり、社会に参加することで変革を成し遂げてきた」という達成感を得てきました。これもまた、台湾の若者たちがフレキシブルさを身につける契機になっているのでしょう。

"For the people"から"With the people"へ

私自身は、一度だけ、李登輝氏にお会いしています。それは一九九五年の「全国中学生科学技術展」の表彰式でした。当時、叔父が「表彰式に総統が来るなら、直接選挙を本当に実現するのかどうか、いつ実現するか聞いてみたら？」などと私に言っていたのを覚えています。それまでは台湾の人々が直接投票をして首長を選ぶ機会は、市長や知事の選挙くらいしかありませんでした。だからこそ、総統直接選挙が予定どおりに実現するのか、どのように行われるのかについて、誰もが気にかけていたのです。

実際にはその翌年の一九九六年に、台湾で初めての総統直接選挙が実施されました。そして李登輝氏が勝利して、それから今日まで、台湾民主化神話の主役として語られるようになりました。ここからも台湾の人々が李登輝氏に対して非常に大きな期待を寄せていたことがわかると思います。

実を言えば、私の父は総統選挙で李登輝氏のライバルだった陳履安（ちんりあん）氏（当時、監察院長）のスポークスマンでした。ですから、私は陳履安氏の視点から李登輝氏を見ていたことになります。陳履安氏の考えでは、李登輝という人物は社会のあらゆる力——経済の力、国際関係上の力、民主主義制度の力、さらには異なる世代の力——をひっくるめて融合し、それを大きなパワーに変えていく能力を持った人物だということでした。

一方、陳履安氏の当時の主張は、社会の安定した力、たとえば台湾で一九九九年に起こった921大震災の後に多くのコミュニティが再建される源となった信仰の力や、一九九六年の初めての総統直接選挙直前の、社会がどことなく浮かれた状況で「過去を振り返るよりも未来を見つめて成長していこう」とする雰囲気を利用しつつ、台湾を建設していこうというものでした。

結果として、総統直接選挙で勝利した李登輝氏は、台湾の人々の中にある自由や民主化を求める願望を後ろ盾としました。それまで李登輝氏は〝For the people〟を掲げて台湾の発展を追求してきましたが、選挙後は〝With the people〟に旗印を変えました。ある意味、方針を転換したわけです。

〝With the people〟という概念は、まず人々が何を望んでいるのかを聞き、それを心に留めておくことです。李登輝氏自身も、独裁体制当時に見合った考え方から総統直接選挙の時代の考え方へと転換するまさにそのプロセスの中にいました。だから、「人々が何を考えているのか」「何を大切にしているのか」をより重視する方向へと考えを変えてきたわけです。

現在の台湾のほぼすべての政党は、李登輝氏の業績を肯定するか否かにかかわらず、李登輝氏が「民主化」と「国際化」という二つの面で台湾を精神的に支えていたということは、否定できません。これは非常に素晴らしい功績だと思います。

台湾の国際貢献と「新台湾人」の基礎を作った李登輝氏

私の父が抱いていた李登輝氏への見方も、一九九六年の総統直接選挙の前後で変わっていきました。一九九六年以前の印象は、先ほどお話したとおりですが、父が総統選挙で陳履安氏を支援したのは、互助精神とか協力といった、民間が持つ安定した力を政治の力にしようと思っていたからです。ただ、総統直接選挙後、とくに一九九九年の921大震災以降、李登輝氏は非常に長い時間をかけて、先に述べた「社会が持っている力」を、台湾社会だけでなく、国際的にも知名度を誇る「台湾の民間の力」にまで仕立て上げました。

序章で述べたように、今、台湾政府はコロナ禍に苦しむ世界に向けて〝Taiwan Can Help〟というメッセージを送っています。「台湾はＷＨＯに加盟していませんが、他の国を助けることができますよ」と表明しています。

李登輝氏は、アメリカ留学時代の母校であるコーネル大学で行った講演で、「台湾の建設や発展は決して経済的なものだけを目的としているのではなく、国際社会に貢献したいがために発展を続けているのだ」という内容の話をしました。〝Taiwan Can Help〟というメッセージにも、「台湾がコロナに関して解決できた問題を国際社会とシェアしたい」という思いが込められています。〝Taiwan Can Help〟の根底にあるのは、「自分たちの問題が解決したら次は他の人を助けてあげよう」という「お互いさま」の精神です。李総統の「台湾は国際社会に貢献する」という発言も同様です。そのことについては、私の父も非常に賛同していました。

李登輝氏は晩年、公職を離れ、政治や党とはまったく関係のない立場になりました。それでも精神的な指導者、あるいは哲学的な指導者としての役割を担っていました。したがって、各政党もまた、李登輝氏とは本来関係のない党であっても、その考え方を政党運営の一つの指標とすることもありました。

こうした状況は、より長期的な影響を与えるもののように思います。たとえば、総統を経験した人は、自分が任期中にどんなことをしたか、どんな貢献をしたか、自分の仕事が社会や環境にどれほど大きな影響を与えたかということを話します。そうした角度から李登輝氏の功績を考えると、それは「新台湾人」という概念を打ち出したことでしょう。これは、これから何世代にもわたって受け継がれるものです。

この「新台湾人」という概念にある「新」という字は、「エスニックグループを超えた融合を目指す」という意味ですから、いつの時代にあっても「新」であり続けます。李総統の時代には、主に東南アジアから台湾へ嫁いできた女性たちを指す「新住民」という概念はありませんでした。結婚などで他の国に移民していくというような概念を持った国はさほど多くなかったと思います。

しかし、現在では、全世界からビザを取得して台湾を訪れる人たちが増えています。というのも、「就業ゴールドカード制度」というものがあるからです。これは台湾政府が実施しているビザ優遇措置で、特定の専門技術を持っている外国人にはビザが優遇して発行される制度です。このゴールドカードを取得すれば、三年間台湾に住むことができます。また、ゴールドカードを取得した人は、雇用主を探す必要がありません。自営業を始めるのもよし、外資系企業で働くもよし、と非常に自由な制度になっています。さらに、自分のもともとの国籍を放棄せずに台湾の国籍を取得できるという制度も設けています。

こうした制度が拡充していくことで、「新台湾人」という概念はますます広がっていくでしょう。李登輝氏は当時、ここまでは考えていなかったと思いますが、現在では様々な意味が含まれるようになってきています。その礎を築いたという点でも、李登輝氏の貢献は大変大きかったと言えるでしょう。

初めて参加した選挙で実感した一票の重さ

私自身は、二十歳のときに初めて投票を行いましたが、それは里長(りちょう)（日本でいえば町内会長のようなもの。台湾における最小行政単位）選挙でした。その日、私は仕事の予定があったのですが、戸籍がある木柵(もくさく)という場所に戻って投票したので、仕事に行くことができませんでした。しかし、投票が終わって開票が行われると、なんと私が一票を投じた候補者が一票差で当選したのです。まさかこんなことがあるのかと信じられない気分でした。本当に一票差だったのです。もし私が投票していなければ、台湾の法律では当選者をくじ引きで決めることになっていたはずです。

そのときの体験により、私は選挙に参加することの大切さを改めて実感しました。台湾の若者は最終的に総統選挙に一票を投じることになりますが、最初は里長選挙や他の選挙で投票というものの意味を感じるのも、とてもよいことだと思います。あるいは大学で、学生会の代表を選んだりもするでしょう。もう少し若い年齢であれば、高校や中学の生徒会役員を選んだりするでしょう。そういう行動を通じて、投票という行為を習慣にしてほしいと思うのです。これは台湾の若者に限った話ではありません。日本の若者のみなさんにも、ぜひ選挙に積極的に参加してほしいと願っています。

「投票したい候補者がいない」場合もあるかもしれません。だからといって、「政治を変えるのは難しいことだ」と考えるべきではありません。たとえば、「起業したい」というのであれば、それは公益に参加することと同じ道理です。「起業したい」と言うのは「社会を変えたい」と言っているのと同じことなのです。

「政治に参加して社会をより良いものに変えていこう」とする意識は、政治の側も国民の側も相互に強化されていくべきことだと思います。

デジタル担当政務委員就任のオファーと受諾した理由

私の政治参加意識はこのようにして育まれてきたのですが、私自身が政治的なものに初めて関与したのは、十五歳の頃でした。インターネットで利用される技術の標準を策定するIETF（インターネット技術特別調査委員会）という組織で、インターネット上の規制作りに参加したり、ウェブ技術の標準化を行う非営利団体のW3C（World Wide Web Consortium）で通信ルールの取り決めを行うなど、インターネットという世界のルール作りに関与したのです。インターネットには国境がないため、「国家」という概念は存在しませんが、これらの仕事はすべて政治のようなものでした。現在のデジタル担当政務委員の仕事も、それと同じようなものだと私は捉えています。だから、政務委員のオファーがあったときも、とくに戸惑うことはありませんでした。

一つ裏話をすると、蔡英文総統の民進党政権が発足する前、政府から私のところに「新設するデジタル担当政務委員の候補者を推薦してほしい」という依頼があったのです。しかし、なかなか適当な人物が見つからず、結局、私に就任要請が来ることになりました。

要請を受けたとき、「面白い」と思いました。社会には様々な立場があり、私が目指す公益を達成するためには、共通の価値観を見つけていく必要があります。ところが、そのような仕事を行っている人は、今まで誰もいませんでした。それは私がもともと興味を持っていた分野だったので、「自分にはその手助けができるのではないか」と思ったのです。

ただ、すんなりＯＫしたわけではありません。三つの条件を出しました。一つ目は「行政院に限らず、他の場所でも仕事をすることを認める」こと、二つ目は「出席するすべての会議・イベント・メディア・納税者とのやりとりは、録音や録画をして公開する」こと、三つ目は「誰かに命じることも命じられることもなく、フラットな立場からアドバイスを行う」ことです。

この三つの要望に対して、当時の林全(りんぜん)行政院長からはすぐに、「問題ないですよ」という返答がありました。それで私は、デジタル担当政務委員の職を引き受けることになり、三十五歳で蔡英文政権に入閣することになったのです。

デジタル技術を活用して、複数の部会にまたがる問題を解決する

私の政治家としての現在の肩書は、行政院におけるデジタル担当政務委員です。

正確にいえば、政務委員の一人であると言ったほうがいいでしょう。行政院には三十二の部会があり、それぞれトップがいます。しかし、一つの部会では解決できない問題もたくさんあります。そういうときには部会間の異なる価値を調整する人間が必要になります。それを行うのが、政務委員です。つまり、複数の部会を横断的に見て、その間に橋をかけ、「共通の価値観を見つけ出す」というのが、政務委員の仕事なのです。

そんな政務委員の一人として、私はデジタルを用いて問題のシェアあるいは橋渡しをする仕事を担当しています。ですから、「デジタル省」や「デジタル庁」といった組織が存在して、私がそのトップに就いたわけではありません。

私は二〇一四年十二月、当時の馬英九（ばえいきゅう）政権の政務委員だった蔡玉玲（さいぎょくれい）氏と一緒にオンラインで法案を討論することができる「vTaiwan」というプラットフォームを構築しました。そ

の後、行政院のコンサルタントに就任して、デジタル担当政務委員に就任した二〇一六年には「Join」という参加型プラットフォームを開設しました。この「Join」は、現在ユーザー数が一〇〇〇万人を超えています。

人々は生活の中にある問題を解決するための新しいアイデアをこのプラットフォームに提案することができ、その意見を聞いた人は、即座に自分の意見を伝えることができます。「Join」上でこれまでに議論された政府プロジェクトは二〇〇〇件以上あり、主な分野は医療サービス、公衆衛生設備、公営住宅建設に関するものでした。

このようにして、様々な意見を持ち寄り、議論を重ねることによって、困難な問題でも解決の糸口が見つかる可能性があります。これがデジタルとアナログの最大の違いでしょう。とくに政治においては、デジタル技術がなければ、人々に告知することはできたとしても、問題解決に直接的に参加するのは容易ではありません。

デジタル民主主義の根幹は、「政府と国民が双方的に議論できるようにしよう」ということです。私は「国民の意見が伝わりにくい」とされる間接民主主義の弱点を、インターネットなどの力により、誰もが政治参加をしやすい環境に変えていこうとしているのです。

こうしたデジタル技術は、社会のイノベーションに寄与しますし、政治であればオープン・ガバメント（開かれた政府）を実現する基礎となるでしょう。社会や政治が抱える様々な問題の解決法に対して、まだ投票権さえ持っていない若い人たちでも、「もっと良い方法があるに違いない」と思っています。そうした意見を共有し、議論することは、若者の政治参加にもつながるでしょう。デジタルは、多くの人々が一緒に社会や政治のことを考えるツールになるのです。

デジタル担当政務委員としての私の役割の一つは、このように人々がお互いに語り合える場をオンライン上で提供することです。ただし、私は政府のためだけに働いているわけではなく、特定団体の利益のために働いているわけでもありません。人々が語り合うために私が設計したプラットフォームは、世界中の多くの政府で使われています。その意味では、私の仕事は世界を結ぶための橋梁のようなものでしょう。

インターネットは少数者の声をすくい上げる重要なツール

この「vTaiwan」や「Join」は、政策についてのパブリック・オピニオンを募るために使われています。今述べたように、国民はこのプラットフォームを利用して、自らが考えた実施可能な政策アイデアを出すことができます。このことにより、政府と国民の間の境界線はなくなり、両者はオープンな協力関係を築くことが可能になります。つまり、政府と国民が共通の目標を持つパートナーになるのです。

このプラットフォームを介して実際に国民の声が政策として実現された例を一つ挙げてみましょう。台湾では二〇一九年七月に店内飲食についてプラスチック製ストローの使用を法律で禁止しました。この政策のきっかけとなったのは、「I love elephant and elephant loves me（私はゾウが好き、そしてゾウは私が好き）」というハンドルネームの人物が、プラスチック製の皿とストローの段階的な使用禁止を求めた「vTaiwan」への書き込みでした。

この提案に対して、請願に必要な五〇〇〇名の署名がすぐに集まりました。その結果、企業が紙やサトウキビなどの再生可能な資源からストローを製造することを承諾し、環保署（日本でいえば環境省）が政策として法制化することになったのです。今ではプラスチック製ではなく、紙やサトウキビを使ったストローが使用されるようになりつつあります。

後になって、このハンドルネームの人物が十六歳の女子高校生であることが判明し、世間を驚かせました。台湾のタピオカミルクティーは世界的に有名ですが、彼女はそのために大量のプラスチックストローが使われ、環境に悪影響を与えることを憂慮していました。だから、プラットフォームに提案を書き込んだのです。まだ参政権を持っていない十六歳の一人の女子高生の提案が、社会を変えたのです。

小さな声であっても、それに同意する人が集まることで、政治家が法律で規準を作ってトップダウンで規制しなくても、社会の変革は可能だということです。むしろトップダウン式に政策を決定しようとすると、社会に対立をもたらすリスクが生まれます。

私の興味は、人と人との交流を円滑にすることにあります。パソコンやインターネットの登場で、人間と人間とのコミュニケーションの仕方は大きく変わりました。私が幼い頃は、ラジオやテレビが主なメディアでしたが、そのとき感じていたのは、それらのメディアを通じて自分の意見を伝えることのできる人間はほんの僅かしかいないのではないか、という懸念でした。大部分の人はただ聞いているだけか、見ているだけです。しかし、パソコンやインターネットが登場したことで、今では誰もが自分の言いたいことを発信できるようになりました。これは素晴らしい民主的な革命だと思います。

それとともに、私が自主勉強をしていたときに自然と感じるようになったのは、「何事も独学が可能なのだ」ということです。ネット上には様々な意見があり、それを統合することが自分の学習領域となりました。また、私は「より多くの時間をこうした勉強に費やしたい」と感じ、こうした勉強方法を「情報科学だけに限らず行いたい」と考えました。

私は、より多くの問題について、お互いに顔も知らない人間、会ったこともない人間同士が一緒になって解決していくという「文化」に啓発されたのです。それが「vTaiwan」や「Join」にも反映されています。そこで、たくさんの人たちが自らの意見を出し合って議論することは、台湾の民主化をさらに前進させることにつながると確信しています。

見えにくい問題を顕在化し、解決に導くために創設したPDISとPO

このような小さな声をすくい上げて社会を前進させていくために創設したのが、「パブリック・デジタル・イノベーション・スペース（Public Digital Innovation Space、略称ＰＤＩＳ）」と「パーティシペーション・オフィサー（Participation Officer、略称ＰＯ）という二つの職務です。これらがどういう活動をしているのか簡単に紹介しましょう。

まずＰＤＩＳでは、私たちが直面している社会問題や環境問題の解決に向けて、みんなで力を合わせて取り組む「コラボ会議（協作会議）」と呼ばれる会議を開催しています。これはすでに七〇回以上行ってきました。

伝統的な民主主義において、有権者は問題の解決を代表者（立法委員）に頼っています。この有権者に代わって意見を述べる人たちは政治のプロでなければならず、自分の考え方もしっかり持っていなければなりません。

しかし、実際に社会問題や環境問題の被害を受けている人たちの中には、こうした委員とのコミュニケーションのとり方がわからない人も多く、そのため委員が有権者の意見を十分に反映していない危険性もあります。また、委員の意見と有権者の意見とが衝突するような場合に、委員は必ずしも有権者の意見を取り入れて議論するとは限らないことが考えられます。これらは単一民主主義における基本的な問題点と言えるでしょう。

このような問題点を解決するために、ＰＤＩＳは少数意見を把握し、委員も気がつかない問題を取り上げたり、直接委員とやり取りできない人たちでも、インターネットを利用してつながりを持つことができるプラットフォームの役割を担っています。

具体的な例を挙げてみましょう。今年の六月に「ある問題」をコラボ会議で取り上げることが決まりました。この案件は四月に提起され、五月末には賛同者（ネット上の署名者）が五〇〇〇人を突破しました。

先にも述べましたが、私たちのプラットフォームでは、「二カ月以内に五〇〇〇人が賛同した場合には、必ず政府が政策に反映する」というルールがあります。もし五〇〇〇人に満たない場合は、対応してもしなくても構わないのですが、五〇〇〇人を超えると、政府には誓願内容を政策に反映しなければならないという義務が発生するのです。

この案件は成立まで一カ月半という比較的長い時間を要しましたが、利害関係が著しいものや組織の色が濃い案件の場合には、一瞬で五〇〇〇人を超えることもあります。

この案件の正式名称は「Ｇ６ＰＤ異常症患者の溶血を誘発する発がん性物質配合の合成防

虫剤利用禁止についての提言」というものです。みなさんは防虫剤がどんなものかはご存知でしょうが、G6PD異常症についてはほとんどの人がご存知ではないと思います。こういうケースこそ、PDISが効果的に機能するのです。

G6PD異常症患者は人口の面からいえば少数の問題であって、一般的には、私たちの大部分はG6PD異常症患者ではなく、さらに友達にこの患者がいるということもほとんどないはずです。しかし、G6PD異常症患者は、空気中の揮発性合成防虫剤に接触しただけで血液中の赤血球に影響を及ぼし、命に関わる状態に陥ります。合成防虫剤は揮発性が非常に高く、公共図書館や公衆トイレなどでも使われています。普通の人にとってはほんのわずかに防虫剤のにおいがする程度で気にならないかもしれませんが、患者にとっては、即座に発症したり、死に至るほどの危険性があるのです。

しかし、誰かがこの防虫剤を禁止する提案を国民投票にかけようと言っても、実際に国民投票が実現する可能性はほとんどないと言っていいでしょう。G6PD異常症患者やその友人、親族の票数だけでは、この問題について議論する必要があると感じる委員はいないかもしれません。もしいたとしても、この件に関心を持つ委員が過半数を占めることはおそらくないでしょう。

ところが、PDISのプラットフォームにこの問題を提起したことで、事の重大性が多くの人たちとシェアされ、なんと五〇〇〇人を超える賛同者を集めることができたのです。これによって、政府も問題解決に向けて動き出すことになりました。

私たちは各案件について賛同の署名をしてくれた五〇〇〇人とネット上でミーティングを行います。ただその前に、なぜ発起人がこの件について話し合いたいかについてヒアリングします。今の防虫剤の案件では、発起人は「自分には利用できる社会資源がなく、立法委員の知り合いもいないので、自分の話をネットに書いて他の人に知ってもらうほうが他の方法よりも実現性が高いと思った」と言っていましたが、実際にそのとおりになりました。

問題解決の別の方法として、行政院長にメールや請願書を書くことも可能です。そのためのコストもあまり変わりません。ただ、この方法では、より広く社会に知らせることはできないでしょう。行政院長のメールボックスを管理している人にしか、問題の所在を知ってもらうことができないのです。

話を傾聴して共通の価値観や解決策を見出していく

以上のようなエピソードからわかるように、ＰＤＩＳは二つの成果を達成しています。

一つ目は、何らかの被害を受けていて、立法委員に知り合いもいない人や何のツテもない人に、問題を解決できるポストにいる人間との接点を作ることができます。

二つ目は、発起人が提唱する考えを、より多くの人に知ってもらうということです。これによって公の部門と社会部門に対して発起人の影響力を拡大し、一定の関心を得ることができます。少なくとも賛同の署名をした五〇〇〇人は、発起人の話を聞いたのです。

また、その五〇〇〇人の中から志願者を募り、彼らに私たちがまとめたマインドマップ（キーワードやイメージを中心に置いて、思考の過程を整理したもの）を見てもらい、事実と感情を分け、実現可能なアドバイスを行いながら、具体的な構成を一緒に考えて報告書を作成しました。完成した報告書はネット上で公開され、誰でも見ることができるようになっています。この方式のメリットは、「問題の核心がどこにあるか」を誰でもすぐに知ることができる点にあります。また、図式的思考や構造的思考が苦手な人のために、問題点を把握できる小冊子も作成しています。

このような方法により多くの人の意見を「傾聴」することで、興味や時間のある人同士が集まり、共通の核心的な価値観を持つことが可能となります。これこそが、先ほど話題にした一定の人々の日常に潜むリスクを減らすことにつながります。一度共通の価値観を持ってしまえば、誰もが異なる革新的な解決策を提案できます。これこそが民主主義の醍醐味です。仮に権利集中の状態にあったり、大臣のみが解決策を提言できることになっていた場合でも、みんながあらゆる解決策を考えることができるのです。

この防虫剤の案件において、私たちは午後二時から六時までの長い時間をかけて、志願者の方たちに現状をお伝えし、コミュニケーションをとりながらお互いを理解し、グループに分かれて解決方法やその方法の実現性を見出していきました。これこそが民主主義の実践に他なりません。

みなさんの参加で知恵を出し合い、核心的な問題を見つけた後、私たちは、その解決策をプラットフォーム上の五〇〇〇人の賛同者に対し、一斉に返信しました。これは日本語でいう「説明責任」です。発起人にあまり時間がなかったり、台北に来ることができない場合でも、オンライン上のプラットフォームを通じて意見交換を行うことや、政府機関に回答を求めることもできます。それこそがインクルージョン、つまり物事を受け入れる「寛容」という一つの価値です。

私たちがＰＤＩＳによって推進しているこのような問題を聞くという活動は、物事の核心に迫り、共に新しいものを作って解決方法を模索しようとするものです。このようなモデルで、私たちは民主主義を動かしています。大事なのは「傾聴」を実践することです。人間にとって一番いいのは、みんながみんなの話を聞こうとする民主主義であり、「傾聴の民主主義」です。私はそれを「Listening at Scale」と呼んでいます。

多くの人たちから話を聞けば聞くほど、共通の価値観や解決策を見逃すリスクは少なくなり、逆に、耳を傾けることを怠ると、物事の方向を間違えるリスクは高まります。その意味で「傾聴」は、実に使い勝手の良い方法です。とくに、「聞けば聞くほど可能性のある共通の価値観や解決策を見逃すことがない」という点は、現在の代議制による民主主義に不足している部分を補完することになると考えています。

これまでＰＤＩＳで行われた七十五個のミーティング記録は、次のサイトで閲覧できます。興味のある方は、ぜひご覧になってください（http://po.pdis.tw）。

ＰＯ（開放政府連絡人）は、専門性と独立性を持ったプロ集団

ＰＤＩＳが所在する場所は私のオフィスですが、なぜパブリック・デジタル・イノベーション・オフィスではなくパブリック・デジタル・イノベーション・スペースと呼ぶのかについて説明しましょう。「オフィス」では、それが物理的な場所だと勘違いされると思ったからです。しかし、「スペース」なら、そこにはオンラインスペースもカウントされるでしょう。

また、この場所を「オードリー・タン政務委員オフィス」という名称にすると、私一人だ

けが問題を担当しているかのように捉えられてしまいますが、ＰＤＩＳは行政院の下にある部会を横断した組織です。行政院の立場からすると、各部会にまたがった人間関係を構築できる空間であり、どの部会の公務員でも自主的に仕事を行うことができる空間なのです。

とはいえ、ここで仕事ができる人数は限られています。たとえば、台湾の外交部にはこの場所で働きたいという人が十数人いるようですが、全員が来てしまうと外交部の一課になってしまいます。そこで、そうならないように、二〇一六年十月、私たちは基本的な方法を決めました。つまり、三十二の部会から、それぞれ一人ずつしか私たちのスペースでは働くことができないようにしたのです。つまり、次の人が来たいという場合、前任者は自分の部会に戻らなければならないというルールです。この案は非常にスムーズに実施できましたので、今でも事務所にいる二十人ほどの半分以上は各部会の職員で、残りは「傾聴」を得意とする民間の専門家で構成されています。これがＰＤＩＳというチームの内訳です。

これに対してＰＯ（パーティシペーション・オフィサー／開放政府連絡人）は、行政院ではなく外交部や財政部などの各部会、もしくはそれぞれの部会の下部機関に設けられています。ＰＯは行政院所属の各機関と独立機関からの出向者で編成されていて、政府の活動を国民に知らせるスポークスマンのような役割を担っています。

したがって、ＰＯには自らの所属する機関の業務を熟知し、対外的にわかりやすい言葉で説明できる能力が求められます。同時に、一般市民の意見を傾聴して内部に伝え、必要に応じて会議を開かなくてはなりません。またPO同士の間でも定例会議が開かれていて、各機関を横断する議題について話し合います。

彼らの主な役割は、自分たちの部会の中で「傾聴」を推進していくことです。その点でPOの仕事はPDISと似ていますが、ちょうど数学でいうフラクタル図形のように、相似形だけれど規模は比較的小さく、相互にリンクしているような関係になっています。

私がPOに求めるのは、透明性を持った仕事をすることだけです。私は彼らに命令をしませんし、彼らも私に命令することはできません。また、彼らの功績や仕事の成果は自分で決めることで、私が決めることではありません。POの間には階級の差はなく、一人ひとりが異なる専門性を持つプロとして平等に扱われます。

これはPDIS内の公務員も同じです。彼らは自分たちで自分の価値観を守り抜かなくてはいけません。ここに属しているからといって、私の価値観に染まってしまっては意味がありません。彼らには、自ら考えて行動し、公益の実現のために働くことが求められています。

デジタル民主主義に潜む危険性はアナログ時代から続いている

デジタル民主主義には、「小さな声にも耳を傾け、社会をより良い方向に変革し、民主主義を前進させていくことができる」というメリットがあります。しかし、もちろんいいことばかりではなく、デメリットもあります。

デメリットは大きく二つに分けられます。

一つ目は「インクルージョン」に関わることです。国民全体を巻き込むインクルージョンが達成できないと、デジタルツールにアクセスできる人、もしくはデジタル接続ができる人しか民主主義に参加できなくなる恐れがあります。すると、それ以外の人は、自分が除外されたところですべてが決められているような感覚を抱くでしょう。これは大きな問題です。

もう一つは「説明責任」に関わることです。説明責任とは、ひとことでいえば、「責任者が明快な答えを出す」ということです。デジタル民主主義では、ある程度の演繹法を使って問題の答えを導き出していきます。しかし、それによって答えを見出せない場合もあります。そのときは、国民の声を聞いた上で、ＡＩに最善の方法を求めるのが最も簡単な方法です。ただ、ＡＩが出した方法が国民に理解してもらえないときにどうすればいいか。そこで政府が説明責任を果たさず、強引に問題解決を図ろうとしたら、それは独裁国家と変わりません。

以上のように、「インクルージョンが十分に実現できているかどうか」「説明責任が十分になされる状態にあるかどうか」の二つが、デジタル民主主義における最大の課題です。

しかし、こうした問題があるからといって、「デジタル民主主義は危険だ」と結論づけるのは早計だと思います。

確かに、アメリカのドナルド・トランプ大統領のように、ツイッターによって独断的な意見を発信し、影響力を行使しようとする人もいます。これを見て「デジタル民主主義は危険だ」と考える人も少なくないかもしれません。

しかし、考えてみれば、トランプ氏のような人物は昔から存在していたのではないでしょうか。たとえば、ラジオしかなかった時代に、扇動が得意な権力者がラジオの力を利用して、一つの国を軍国主義の道に引きずり込んだこともありました。

つまり、こうした危険性は情報発信能力があれば、いつの時代においても、どこの場所でもあり得ることであり、ネット環境とは直接的に関係はないのです。

たとえば、テレビで軍事パレードを大々的に放映することで、人々に指導者への崇拝を促すこともできるでしょう。それを行うにはツイッターは必要なく、大企業がテレビのチャンネルを持つだけで実現できてしまいます。歴史を振り返ってみても、第二次世界大戦はラジオという新しいメディアが生み出したと言っても過言ではないでしょう。

私が強調したいのは、デジタル以前のラジオやテレビのようなアナログの時代でも、民衆が扇動される危険性は存在していたということです。これはマスコミュニケーションにとって、ずっとつきまとう問題なのです。「インターネット環境をどのように調整していくか」という話ではなく、情報発信する力がある限り、この問題が消えることはありません。

たとえば、中国にはバイドゥ、アリババ、テンセント、ファーウェイという四大ＩＴ企業があります。これらは独立した企業のように見えますが、中国共産党の支配下にあるという点で、同じような構造を持っているため、そこで生じる問題は、特定の企業の問題とは言えません。

要するに、すべての人の意見を一人が代弁し、「この人が言うなら仕方がない」という状況を作ることが危機を生むのだと思います。

しかし、私はこれとは正反対の考え方です。たくさんの人の意見を一人の意見に置き換えるのではなく、インターネット上ですべての人の意見をまとめる中から共通の価値観を形成することを目指しています。

先にも述べましたが、私はデジタルによって誰かの考えを変えるつもりはありません。古いシステムがどんなに悪いものであっても、私はそれらを否定し、変えるつもりはないのです。ただ、新しいだけのものよりも良いシステムを作って、少しずつ使い勝手の悪い古いシステムから離れていくように人々を啓発していこうとしているだけです。

「デジタル民主主義に危険がある」ということを認める一方で、「民主主義を前進させていくためにどのようにデジタルを役立てることができるか」を考え、活用していくことこそが大事なのだと思います。

民主主義は一人ひとりの貢献によって前進していく

現代に生きる人たちは、一つの缶詰の中に詰め込まれているようなものです。しかし、同じ缶詰の中にいても、見ている世界はそれぞれ異なります。むしろ違っているのが当然です。だから、独裁主義というものには意味がないのです。なぜなら、独裁主義では、誰に意見を聞いても、結局一つの答えしか返ってこないからです。それは本来、あり得ないことです。

一方、民主主義には多様な意見が存在するのが前提ですが、それが形式的なものにすぎない場合は大きな問題となります。つまり、お上が言うことを庶民が忖度(そんたく)して、「お上がAといえば、みんながA」になっているような状態です。このような社会では、選挙制度があっても投票は形式的なものにすぎません。このような民主主義であれば、まったく意味がないでしょう。

各人の世界を見る角度は異なっていて当然です。だから、意見をシェアしたときに、「私はみんなと違う」「私の考えは少数意見だ」と悲観する必要はありません。個人個人それぞれに物の見方は異なるので、本来、誰もがそれぞれの意見を持っているからです。

それでも自分の意見が少数に属することが気になるのであれば、そのときは「自分は他の人が思いつかないような物事の見方をしている」と思ってください。これこそがあなたの個性です。自信を持って自分の意見を発信していけばいいのです。

台湾で起こりがちな出来事は、このようなことです。車が違法駐車しているとか、道が陥没しているとか、道がデコボコだといった場合に、たとえ急いでいたとしても、多くの人が立ち止まって写真を撮り、市役所などに通報します。自分に直接利害のないことであっても、「これは政府の仕事だ」「その場所を所管する部門の仕事だ」とは考えずに、「自分の問題だ」と捉えて行動を起こすのです。道を歩いている誰もが、小さいながらも社会を良くすることに貢献しているわけです。

こうした気質を台湾では「鶏婆(ジーボー)」と言います。「母鶏のように、おせっかいでうるさい」という意味です。これは、「自分に直接関係することではなくても、能動的に貢献したい」という心持ちを表します。このような精神こそが、民主主義では非常に重要な要素の一つになると思います。

インタラクティブによって実現したインターネットの平等

もう一つ、「インターネットの平等」について考える場合、デジタル技術の活用は民主主義にとって非常に重要なものになります。たとえば立法委員になりたいと思ったとき、あるいは有権者が立法委員を選ぼうとする場合に、立候補者の表現能力はかなり重要です。

あなたが「立法委員になりたい」と思ったとしましょう。もし表現能力に長けていない場合、周囲の人はあなたがいったい何を伝えたいのかわからないでしょう。議員の「議」には「話をする」という意味があるように、これまでは「話のうまい人や表現能力に長けた人が選ばれる」傾向が強かったのです。

しかし、インターネットが発達した現在は、たとえ話をするのが不得手な人であっても、「自分の政策や主張を文字や図表にして表現し、ネットを使って広く知らせる」という方法を選択することができます。あるいは、SNSで相互交流を図って、自分の考えを知らせることもできます。

これまでの古い社会であれば、口下手な人はなかなか立法委員に当選することができませんでしたが、今は新しいデジタル技術を活用して、必ずしも雄弁ではないけれど、ネットを通じて自分の主張や政策を広め、有権者の共感を集めて立法委員になる人たちが出てきています。これは素晴らしいことではないでしょうか。

蔡英文総統も、どちらかといえば口下手な部類に入るでしょう。彼女の演説を聞くと有権者はどうしても過去の総統と比べてしまいますが、「支持者の感情に訴えて焚き付ける」という点では、蔡氏はやや弱いように思います。李登輝氏、陳水扁氏、馬英九氏といった台湾の歴代総統は、大規模な集会で参加者を盛り上げるのに長けていました。「演説の内容が理解できるか、共感できるかどうか」は別として、私は彼らのスタイルが決して嫌いではありません。とくに李登輝氏は、参加者を扇動する能力が素晴らしかったと思います。

蔡英文氏の演説は、そうした魅力には欠けています。その一方で、「非常に信頼できる」というイメージを人々に与えているのが特徴でしょう。どんな危機に際しても、非常に冷静に対応できると感じさせます。それが彼女の信頼感を醸し出しているのでしょう。

ネットの時代であるからこそ、安定かつ冷静であり、最小のコストで最大限の結果を生み出すディベート専門家として、蔡英文氏は「国家の指導者にふさわしい」という評価を得たのです。インターネットが誕生していなければ、こうした評価は得られなかったと思います。

彼女は、政見演説やスピーチなどでの一対一の対話では優れた能力を発揮しますが、群衆を扇動し、多くの人と握手をしながら訴えかけるというやり方は、決して得意ではないからです。

このように、現在の民主主義において、群衆を扇動するような能力の有無は、大きな問題ではありません。ネットの時代に生きる現代の私たちは、たくさんのインタラクティブなゲームや短編動画、ネット住人との対話をネット上で経験しています。専門的な案内人を介してそれらを活用することができれば、蔡氏は非常に明確に自分の哲学を説明することができるでしょう。そして、それらが明確に説明されればされるほど、私たちは彼女が冷静で長期的な視野を持ち、その聡明な個性は大学教授だけでなく、政治のトップにも適していると理解されるのです。

蔡英文氏は、どちらかといえば、ネット上で討論することに慣れています。蔡氏のやり方であれば、有権者はインターネットのインタラクティブな特性を利用して、彼女により良いアイデアを提供することも可能となります。

新型コロナウイルスの対策指揮センター（CECC）で指揮官を務める陳時中氏も、蔡氏と似たような性格です。毎日の記者会見を始めた当初は、決して雄弁ではありませんでした。しかし、その後、毎日練習して、次第に流暢になっていったように思います。彼も扇動型の政治家ではありません。彼は記者からの辛辣（しんらつ）な質問に対しても、温和な雰囲気を崩さず回答していました。しかし、誰も彼が国民の声を代弁していないとは思わず、むしろ安心感を持って話を聞いていたはずです。

これはネット時代の特徴だと思いますが、「比較的雄弁ではない指導者たちこそが、自分たちの主張や意見に耳を傾け、政策に反映してくれる」と人々はネットを通じて実感しているのではないでしょうか。もし仮に、ネットのような相互コミュニケーションを選ぶことができず、集会で群衆に向かって演説するだけの手段しかないとすれば、こうした地味なタイプの政治家がこれほど評価されることはなかったでしょう。ある意味で、インターネットのインタラクティブ性が、政治における平等を実現したわけです。これもデジタル民主主義の一つの特徴と言っていいと思います。

「みんなのことを、みんなで助け合う」精神で社会を変革する

政治には対立がつきものですが、政治的な対立を乗り越えるのは、それほど難しくはないと私は感じています。「持続可能な開発目標（ＳＤＧｓ）」のような、比較的シンプルであり、台湾という場所を発展させるために有効だと誰もが同意できるような価値を見つけ出すことができればいいのです。

たとえば、現在の台湾の四大政党（民進党、国民党、時代力量、台湾民衆党）は、どの政党であれ、「民主主義をさらに発展させよう」「政府は国民をもっと信頼しよう」という主張に同意するでしょう。他にも、「全世界に台湾の民主主義を理解してもらおう」というような価値であれば、どの政党も反対することはないでしょう。

今、私が行っている仕事とは、まさにこうした「共通の価値」を見つけ出すことです。だから、複雑な、一種の権力闘争に巻き込まれるような心配もありません。

要するに、「みんなのことを、みんなで助け合う」ことが大事なのです。マスクマップにしても、特定の個人が作ったものではなく、シビックハッカーたちが協力して作り上げたものです。これはソーシャル・イノベーションの成果です。政府が何をしようとしているかは関係なく、一人ひとりが良い方法を考え、思いついたら実践してみる。マスクマップは、みんなが「良いアイデアだ」と思ったから、みんなで作ったものなのです。

過去によく聞かれた「シビック・エンゲージメント（市民の政治参加）」は、政府がテーマを設定して、市民に意見を求めるという仕組みでした。しかし、ソーシャル・イノベーションは、市民がテーマを決め、政府が市民のアイデアに協力することで完成するものです。政府は決して主体者ではなく、方向性をコントロールする存在でもありません。現在の台湾の民主主義はそういった形に発展してきています。

現在の代議制民主主義は、私にとっては原始的なシステムのように見えます。たとえば、ラジオやテレビが普及すると、一人の政治家が数百万人の国民に話しかけることができるようになりましたが、それはあくまでも一方通行に過ぎず、その政治家が数百万の国民の声を聴くことはできません。また、国民同士が互いの意見に耳を傾け、議論をすることも稀な出来事でした。

ところが、「インターネット」というプラットフォームを使うことで、一つの主張や問題について、誰もが言葉を交わすことができます。それぞれの主義主張や政治志向を離れ、一つのテーマや問題について誰もが自由に話し合うことができるのです。同じ価値観を持ち、目指す方向への共通認識があれば、共に話し合うことで社会を前進させることが可能となります。そうした意味で、インターネットは間接民主主義の弱点を克服できる重要なツールとなり得るのです。そこに私は、デジタル民主主義の未来の可能性を見ています。

第四章

AUDRE
TAN
THE FUTURE O
DIGITAL INNOVATIO

ソーシャル・イノベーション

一人も置き去りにしない社会改革を実現する

境界を取り払うことから始まるオープン・ガバメント

最近の私の一日の活動について少しお伝えしましょう。

私の起床は朝六時半です。仕事場にはスニーカーを履いて行きます。執務室のある社会創新実験センターまで歩いたりジョギングしたりして、職場に向かいます。大雨でなければ、歩いて通勤するのが私のルールです。その途中で友人に会って話したりして、最新の政策についてよりクリエイティブなアイデアをもらうこともあります。

執務室に着くと、自分で体温を測り、警備員に「今日は36・7度」と伝え、カードキーで中に入ります。コーヒーを淹れ、氷を加えてから、スニーカーからビジネスシューズに履き替えます。そして、ネット上で何かしらの返信が来ていないかについてチェックします。前日の晩に私が帰った後、同僚たちが新しくタスクを追加していれば、そこにコメントを入れます。それから当日のスケジュールについて確認します。

私の執務室のある建物は、かつて空軍司令部が存在していた場所です。日本統治時代は、工業研究所のような機関が置かれていたと聞いています。もともとは建物の四方が完全に壁で囲まれていて、目の前の仁愛路からはまったく中を見ることができませんでした。しかし、現在は壁が取り払われ、まるで公園のような場所になっています。台北市内有数の大きな公園である大安森林公園よりもさらに開放的で、一息入れるには格好の場所です。建物はどこからでも見渡すことができるようになっています。

この建物の地下には、現在行われている消防署による安全検査が終わった後、いくつかの組織が入居することになっています。国連が掲げる十七項目の「持続可能な開発目標」に関する問題を解決するための組織であれば、一年間無償で借りることができるようになっています。また、イベント開催や記者会見、展示会などの単発の開催であれば、事前申請を行うことで、無料で使用することもできます。ただし、イベントは「誰でも参加可能なスタイルでなければならない」というルールがあり、ひとことで言えば、この場所は「イノベーションを生み出すための場所」なのです。

次に、毎週の固定スケジュールとしては、木曜日の午前中に行政院の会議があります。午後には、主として科学技術部（日本でいう文部科学省）に行って会議をします。政務委員になってからは、この週二回の定例会議が唯一決まったスケジュールです。

他の日の予定は様々で、何を行っているかを説明するのは難しいのですが、水曜日はほとんど社会創新実験センター内の執務室にいて、朝から夜まで、誰でもここへ来て話ができるようにしています。時にはリモートで話をすることもあります。ただ最近は面会希望者が増えて、時間の余裕があれば、火曜日や土曜日もここで話を聞いています。

人々が私と話をしたいという理由は、おそらく以下の二つでしょう。

一つは、デジタル技術が単なる「上から下へ、下から上へ」という垂直的なものではなくなったことが広く知られるようになったからです。異なる縦のシステムを横断的に連結させるだけで、「これまでとはまったく異なる結果を生み出せる」ということが、徐々に理解されてきたのだと思います。台湾のマスク販売システムや経済復興のために発行された振興三倍券の例を見て、多くの人が啓発されたからかもしれません。そのため、似たようなアイデアを持ち込み、自分たちの仕事にいかにしてデジタルを応用できるかを相談したいという人たちもいます。

二つ目は、これまでは四方を壁に囲まれていて、中で何が行われているのかがわからなかったけれど、「壁が取り払われたから入りやすくなった」という理由もあるのでしょう。以前は、「たまたま入ってみたら、こんな場所だったとわかった」という人はまったくいませんでした。まず、この場所でどんなことを行っているのかを調べて、そのうえで「オードリーのところへ話しに行きたい」という人しか来なかったと思います。

ところが、壁が取り払われて、イベントや展示会が頻繁に行われるようになったので、前を通りかかった人たちが、「あっ、オードリーがいる」と言って、訪ねてくることも増えました。このような物理的な意味合いで「境界を取り払う」のも、オープン・ガバメントの一つとして捉えてもいいと思います。

オープン・ガバメントは、政府と人々の間に信頼関係があってこそ、成り立ちます。以前から台湾の政府は「人々を信頼しなければならない」と述べていました。もし、「政府が人々をよく理解していない」と感じたのであれば、人々の側から政府にクリエイティブな見解を示せばいいわけです。逆に、政府が人々をまったく理解せず、政治に参加する必要もないと感じたならば、人々は最終的に政治に対する関心を失うでしょう。

最近、台湾でも司法の分野において、裁判員制度が始まることが決まりました。これもまた、裁判官が必ずしも物事を最も理解しているということではなく、「民間人が裁判官として参加したとしても、それぞれの角度からの見解を出せるだろう」という考えに基づいたものです。つまり、大部分の時間を法律に関わる仕事に使い、一般の生活経験が乏しいであろう裁判官とは違う見解を、民間人に期待しているわけです。このように立場や地位によって人を分け隔てしないインクルーシブな感覚は、オープン・ガバメントの実現にとって、非常に重要な要素になります。

もしこうした感覚を政府が持っていなければ、裁判員制度を作り、人々に「法廷に参加してほしい」と要請しても、誰も参加したいとは思わないでしょう。日本でも「裁判員制度とはいかなるものか」について長い時間をかけて議論を重ね、人々に周知することで、やっと裁判員制度が人々に認知されたと聞いています。それはまた、法律制度全体の問題をより平易な方法で人々に理解してもらうために欠かせないプロセスであったはずです。

オープン・ガバメントを定着させるには、このように時間も必要で、何よりも人々に丁寧に説明し、理解してもらう姿勢が求められます。

共通の価値を発見し、イノベーションにつなげていく

私の頭の中には、日々様々な思いや考えがあったとしても、最終的には「今日は何をするか」という決断を下さなければなりません。しかし、それは私だけの話ではありません。人はそれぞれ、様々な思いや考えを持っています。そして、そうした多くのアイデアの中から最終的に何かを決める場合に、様々な状況をシミュレートする必要があるでしょう。そのためには、自分の頭の中にあるストーリーを言語化させ、「このストーリーの状況下においては何が重要であるか、どの価値であれば、よりクオリティの高い精度で実現できるか」について考え続けなければなりません。

そのプロセスで、私たちは人々の間にある共通の価値を発見することもできます。共通の

価値があれば、「今日はその価値を達成しなければならない」と思い、「その実現のために努力を惜しまない」と決めることができます。すると、「今日達成すべきもののために何をすべきか」という別のアイデアが頭の中に浮かんできます。

日々考え続けるということは、自分が今日達成したいものは何かを常に探るということです。さらに、それが確定すると、続いてそれを実現する方法を探る探索が始まるのです。

たとえば、今なら「新型コロナウイルスをいかに抑えていくか」が、世界共通の価値になるかもしれません。それを実現するためには、ワクチンを開発することが最も重要だと思っている人は多いと思います。しかし、それ以外にもまだ方法はたくさんあるかもしれません。だからこそ、「他人から学び、考える」という行為を謙虚に行っていかなければなりません。

自分の価値観がすでに確立されているような場合は、自分と同じ価値観を持っている人を探すことになるでしょう。しかしながら、それがまだ確立されていないのであれば、確立させるために学び続けることが大切です。また、共通の価値になかなか辿り着けない人たちもいます。彼らはまだ探索段階で、実行したいことが多すぎて、共通の価値に収斂できていないだけかもしれません。共通の価値に辿り着くまでの時間は、人それぞれでしょう。

そういう人の中には、多くの人々がまだ気づいていない思考角度で社会や物事を眺めている人たちも存在します。彼らは、他の人とは異なる創造力で社会を考えているのです。たとえば、芸術家などはそれに該当するでしょう。しかしながら、こうした人たちを支援できるシステムは、残念ながらとても限られています。

私は李登輝氏の言葉や先人たちの哲学的思考をよく引用して話をしますが、彼らは未開の地に道を切り拓いてくれた人たちなのです。彼らがいたからこそ、私たちは考える時間を節約することができています。先人が歩いた道が存在するからこそ、多くの人は「太陽が地球の周りを回っている」のをおかしいと感じ、「地球が太陽の周りを回っている」と言っても誰も不思議な顔をしないのです。

私の仕事は非常に明確で、様々な異なる立場の人たちに対して、共通の価値を見つけるお手伝いをすることです。いったん共通の価値が見つかれば、異なるやり方の中から、みなさんが受け入れられるような新しいイノベーションが生まれます。それは共通の価値と実践の価値のイノベーションです。

こうした仕事は、私が政務委員になる前から行ってきたことです。もちろん現在は政務委員として中央政府の支援を受けつつ、部会間の価値観を調整する仕事を進めています。部会間で価値観が異なる場合、あるいは価値の調整が難しい場合、民間の力を入れてイノベーションを進めることもあります。とくにイノベーションの分野では、民間企業がすでに多くの革新的なアイデアを出しているにもかかわらず、政府内ではまだ気づいていない部分もたくさんあるからです。

そのためには、まず政府の価値観を確立し、その後に同じ価値観を持った民間企業や個人を引き入れる。そうすれば「ゼロから何かを作り出す」ことをする必要はありません。これが私の現在における仕事と政治の関係です。

マイノリティに属しているからこそ、提案できることがある

私の成長期において、男性ホルモンの濃度は八十歳の男性と同じレベルでした。そのため、私の男性としての思春期は未発達な状態でした。二十歳の頃、男性ホルモンの濃度を検査すると、だいたい男女の中間ぐらいであることがわかりました。このとき、自分はトランスジェンダーであることを自覚しました。

私は十代で男性の思春期、二十代で女性の思春期を経験しましたが、今述べたように一回目の思春期のときは、完全に男性になるということはなく、喉仏もありませんでした。また、男性としての感情や思考を得ることもありませんでした。二十代で迎えた二度目の思春期には、完全ではないけれどもバストが発達しました。結局のところ、私は男女それぞれの思春期を二～三年ずつ経験しているのですが、一般的な男性や女性ほど、完全に男女が分離して

いるわけではありません。そのため、行政院の政務委員に就任する際、性別を記入する欄には「無」と書きました。

私は人と人とを区別する「境界線」は存在しないと考えています。これは性別についても同じです。もともと両親が「男性はこう、女性はこうあるべき」という教育を行っていなかったため、私は性別について特定の認識がありませんでした。また、十二歳の頃に出合ったインターネットの世界でも、性別について名乗る必要はなく、聞かれることもありませんでした。

二十四歳になって、私は自分がトランスジェンダーであることを初めて明らかにしました。そして、二十五歳のときに、名前を唐宗漢(とうそうかん)から唐鳳(とうほう)に変えました。私の選択を両親は支持してくれ、英語名をオードリー・タンにしました。

実は名前を変えるとき、この「オードリー(Audrey)」という英語名を先に決めました。そのあと、漢字の名前を考えているときに、まず「鳳」という字を選びました。台湾では漢字三文字の名前が一般的なので、もうひとつ何か良い字と組み合わせてから役所に改名申請をしようと思っていたのですが、そのうち、ある日本の友人が「『鳳』という漢字は日本語で〝おおとり〟とも読むから、オードリーの日本語発音と似ているね」と教えてくれたのです。そこで私は、「だったら新しい名前は『鳳』だけにしよう」と思い、そのまま役所に「唐鳳」と申請したのです。台湾では漢字二文字の名前は少数派ですが、決して珍しくはありません。

このようにして、私はトランスジェンダーとしての生き方を選択しました。トランスジェンダーは、物事を考えるときに「男女」という枠にとらわれることがなく、その分、自由度が高いように感じます。また、自分はいわゆる少数派に属していますから、すべての立場の人々に寄り添うことができます。これはトランスジェンダーのよさだと思っています。

私は子供の頃、左手で字を書いていました。みんなが右手で字を書いていることには気づいていたので、その頃から「自分はマイノリティである」という経験をしています。「マイノリティであるからこそ、他の人には見えない視点を持つことができるかもしれない」とも思います。

大事なのは、マイノリティかどうかに関係なく、その人の貢献を社会が認めるかどうかです。仮にマイノリティだとしても、その貢献を社会が認めてくれれば、自分が先駆者になったような気分になるでしょう。

前述したように、台湾には「鶏婆（ジーボー）」という言葉があります。これは「母鶏のようにおせっかいでうるさい」という意味で、台湾においては重要な価値観になっています。マイノリティにとって、この「鶏婆」という概念が、非常に大事だと思うのです。

マイノリティであるからといって否定され、それによって自信を失う必要はまったくありません。むしろ、マイノリティであるからこそ、多数派の人たちに対して「私たちはみなさんとは異なる見方をしている」「みなさんには見えない問題が見える」ということを訴えることができるわけです。その内容に説得力があれば、あるいはその視点が合理的と受け入れられれば、社会はより良いものになっていくはずです。

序章で、「自分の息子がピンクのマスクをしていたら、学校で笑われて恥ずかしい思いをした」という母親の悩みが新型コロナウイルス対策のホットラインに寄せられたエピソードを紹介しました。その訴えを聞いた中央感染症指揮センターの指揮官たちは、翌日の記者会見に全員がピンクのマスクをして臨みました。そして、「ピンクは良い色ですよ」と報道陣に向かって語りかけたのです。陳時中指揮官は「私は小さい頃、ピンクパンサーのアニメが大好きだったよ」とも付け加えました。その結果、SNS上では、多くの台湾企業や個人が起業ロゴやプロフィール画像の背景をピンクに塗り替えて、政府を支持する動きまで出てきました。これにより、誰もがピンクのマスクを受け入れるようになったのです。

このように、台湾には寛容とインクルージョン（包括）の精神があります。「マイノリティの人たちが多数派に対して具体的な提案を行えば、多数派は喜んで耳を傾ける」という土壌が存在するのです。このピンクマスク事件は、私にとっても、社会がどのような動きをするのか、どのような仕組みを持っているのかを理解する良いきっかけになりました。

時代の経過とともに自然と片づく問題もある――同性婚問題を解消した智恵

共同の経験を重ね、お互いの理解が深まることにより、それ以前と関係が変わってくることがあるように思います。こうした変化は一つの国の中でも起こり得ることです。

最近の台湾における最大の対立は、婚姻の価値についてのものでした。具体的に言えば、二〇一八年に行われた住民投票で、結婚は「家と家の問題」か「個人と個人の問題」かで意見の対立が起こりました。さらに私の記憶では、同性婚に関する対立が最も大きかったように思います。年配の世代にとって、結婚の価値とは個人と個人の関係ではなく、家と家の関係によって生まれるものでした。そこに同性婚の問題が入ってくると、さらに意見の対立は大きなものになります。当時、その対立は簡単には埋まらないと思われていました。

しかし、その後、私たちは知恵を出し合って、問題の解決を実現しました。たとえば、同性婚を望むカップルがいた場合、婚姻の平等を保障するために個人同士の結婚は認めることにする一方、家族同士に姻戚関係は生じないことにする方法が生み出されました。これであれば、社会にとっても受け入れやすいのではないかと考えたのです。

その結果、同性婚が認められて一年が経過しましたが、異なる世代の間でも、この考えがだんだんと受け入れられるようになっています。二〇一八年の住民投票のときには、賛成派と反対派が一触即発の状況でしたが、現在の世論調査によれば、同性婚の支持者が当時より一〇％増えているという結果が出ています。この方式が受け入れられたのは、少なくとも各世代の人間が持っている価値観のどれも犠牲にしなかったからでしょう。結局、誰もがそんな大した問題ではないと気づいたのです。

このように婚姻の問題に関して最も難度が高いと思われた同性カップルの結婚でも、端緒をつけてしまえば、それほど害のあるものではないと多くの人々が気づくのです。この問題が先に解決してしまえば、他の婚姻に関する問題も自然に解決に向かうと思います。もちろん、家族同士の姻戚関係発生の部分、国際結婚、子供の養育に関すること、人工生殖など、まだまだ障壁は多く残っていますが、これらは一般的な問題と同じように、あとからゆっくり片づけていけばいいのです。

私は、「こうした問題は社会の自然な一部分に過ぎないのだ」ということを広く伝えていくことが大事だと思っています。その意味では、このような「意見対立」という地震がたまに起こるのも、決して悪いことではないかもしれません。地震が起こる度に、玉山（ぎょくさん）（台湾最高峰の山、日本統治時代は「新高山（にいたかやま）」と呼ばれた）は、高さを増していくのです。

どこが不足しているかを考え、快適になる部分から変えていく

前述したように、私はもともと左利きでした。左利きは生まれつきで、私が自ら選択したわけではありません。左利きなので、左手で字を書いたり箸を持ったりするのに慣れていただけです。でも、七歳のとき、先生から「左手が便利でも右手を使う練習をしなければいけない」と言われました。それには理由があって、中国語の縦書きは右から左へ書くので、右利きのほうが比較的便利であるということでした。確かに左手だと手前に戻っていきながら書かなくてはいけないため不便ではあります。

現在はパソコンのキーボード入力がほとんどです。右手とか左手ではなく、両手で入力するのが一番速くなっています。社会のツールの変化は、人間の印象を変えます。今、子供が左手でスマホを触っているのを見て、「右手に変えなさい」という教師はいないでしょう。

このように、基本的な行動パターンや社会的な行動パターンを誰もが便利であるように調整する時期が来れば、「左利きがおかしい」という状況は自然となくなっていきます。一方で、ほとんどの人が右利きなので、改札口のセンサーを右に置くのには合理性があります。それを使うのは左利きの人にとっても、字を書くほど面倒なことではありません。少し手を

伸ばすだけの話です。こうしたものは急いで変える必要もありません。

私たちが進歩する可能性は、いつでも存在します。今の状態が百点ではないからといって、破壊してしまうのはナンセンスです。破壊するとゼロになり、また一からやり直さなくてはいけません。私が常に言っているのは、「八十点のものがあればどこに不足があるのかを考えよう、そして改修すれば快適になる部分から先に変えていこう」ということです。

たとえば、私が普段仕事をしている社会創新実験センターには、男子用、女子用、車椅子対応、ジェンダーニュートラルの四種類のトイレが存在します。こうすることで誰もが快適にトイレに行くことができますし、万が一、四つのトイレのうちの一つが故障した場合でも、プラスアルファの選択肢があるため、利便性の点でもかなり良いと思います。

車椅子対応やジェンダーニュートラルのトイレは、最初のうちは少人数を対象にしたトイレだったはずですが、あとになって、こうしたトイレは「小さな子供たちと一緒に入るのに非常に適している」と気づくかもしれません。また本来は車椅子使用者のために設計されたトイレは、高齢者や歩行器を使う人にとっても使いやすいかもしれません。

このように、誰か少数のためを思って設計されたものが、想定していなかった人たちを助けることがあるのです。「自分には関係ない」と思っていても、スポーツで怪我をして二カ月間車椅子に乗ることもあるかもしれません。いつもは多数派の側に所属していても、時には少数派に属することになる場合もあります。そして、一度でも「少数派になる」という経験をした人は、多数派に移ったときに少数派の人たちを排除するようなことを行わないようになります。

これは「交差性（intersectionality）」と呼ばれるもので、中国語では「共融（きょうゆう）」と言います。この考え方は、ゼロサムのように「一つ増えれば一つ減る」というものではなく、「誰も置き去りにしない」という概念で、すなわちそれが「インクルージョン」という考え方です。

「公僕の中の公僕になる」――社会の知恵が仕事を作る

私は行政院に入閣するときに「公僕の中の公僕になる」と宣言しました。公益に資することが自らの仕事だと思っていますから、私自身が「何かを変えたい」というようなものは、とくにありません。私は完全に社会の知恵に頼り切っています。市民の知恵こそが最も大切なのです。社会が望むことを実現していくためにＩＴを活用して何ができるかを考えるのが、私の役割だと思っています。

好例を一つ挙げてみましょう。台湾で、政府のエイズ政策について請願の署名が、五〇〇〇人を超えて成立しました。請願内容は「U＝U（Undetectable=Untransmittable）の啓蒙を政府は積極的に行うべきだ」というものです。この「U＝U」は「効果的な抗HIV治療を受ければ性行為によって他の人にHIVが感染することはない」ことを表すメッセージです。

台湾ではエイズは決して珍しい病気ではなくなっています。ただ、定期的に薬を服用していれば、感染の危険性はありません。台湾の刑法には「性病を感染させたら……」などという古臭い規定はありませんが、エイズに関する条文はまだ存在します。そのため、残念ながら一般の人々のエイズに対する印象は、以前のままです。

こうしたある種の教育に関する責任は、教育部（日本でいえば文部科学省）だけにあるのではありません。行政面で関わる衛生福利部はその姿勢を改めなければならず、エイズに関する研究の有効性を証明する必要があります。あるいは、バイオメディカル研究の後方支援をする必要もありますが、これは科技部の仕事でしょう。

こうしてみると、これも一つの部会横断型の仕事になり、「国民のHIVウイルスに対する概念をいかにして転換させるか」という問題になるのです。この問題は国民自らが五〇〇〇人の署名を集めて発起したもので、私が行おうと考えたわけではありません。しかし、五〇〇〇人分の署名が集まれば、そこで私はこの問題に取り組むことができます。私の仕事というのは、このようにして始まるわけです。「社会の知恵が私の仕事を作る」というのは、こういう意味です。

AIを使った社会問題の解決を競う「総統杯ハッカソン」

デジタル担当政務委員として私が取り組んでいる「総統杯ハッカソン」という試みがあります。これは総統府の主催で毎年一回行われるもので、「持続可能な目標」というテーマに沿って民間からアイデアを募集します。

たとえば、「テレビ会議システムを用いて地方や離島の医療問題をいかに解決するか」「水道管のどこが水漏れしているかを確認するのに、AIを用いる方法はあるか」「独居老人の住居でどのような場合に最も失火しやすいかをAIで分析するには、どうすればいいか」「地震が起こったときに、政府がどうやって独居老人の側に警報を伝えるか」など、様々な問題について、「デジタルがどのような解決方法を提供できるか」について意見を出し合って競うのです。

これらのテーマと解決方法は、政府と民間の社会活動に関与する人たちが一緒になって提案し、毎年上位に入った五つのアイデアが表彰されます。受賞の賞品はプロジェクター機能を備えたトロフィーで、プロジェクターのスイッチをＯＮにすると、蔡英文総統の「みなさんが三カ月かけて作り出した作品を、私たち政府は今後一年以内に必ず公共政策として実現させます」というメッセージが流れる仕組みになっています。

この試みは海外からも注目されていて、ニュージーランドのウェリントン地方政府が二〇一八年のハッカソンに参加したチーム「搶救水寶寶（Save the Water Babies）」を招き、水漏れ問題の解決に協力を仰ぎ、それ以後、「Water Box」と名づけられたこのプロジェクトをウェリントン側のチームが引き継ぐということもありました。

この「搶救水寶寶」チームは、今年のハッカソンにも参加しています。今年の彼らのテーマは、台湾にある農地工場（農業用地に置かれた工場）に関するものでした。「農地工場は農地を汚染してはならない」と法律で定められていますが、実際には汚染されているところもありました。そこで新たな法律を可決させ、実際に農地を汚染した場合には、中央政府の決定によって水や電力の供給を断つことができるようにしようというのです。

ただ、実際にそうした問題が起きた場合、工場側が「私たちが汚したのではない、上流の工場が汚染したんだ」と言い始める可能性もあります。今のままだと誰が汚染したかがわからないのです。

それを解決するために出されたアイデアが、ソーラー発電による電力を利用した機器を用水路や灌漑設備に直接装着し、水質検査の結果をネット上に分散して置かれたアカウントに常に記録するというものでした。自分の工場が汚染していないことを証明し、誤って検挙されたくないのであれば、この機器を工場のやや上流に置くだけでいいのです。そうすればどこが汚染源なのか、誰に対しても一目瞭然です。

このハッカソンという活動は、実際には経済部の中小企業局が主導しているもので、多くの中小企業も参加していますが、各地が抱える問題を解決するために大いに役立っています。

人間社会を良くする「補助的知能」としてAIを活用する

このハッカソンという取り組みは、台湾以外の国々との間でも行っています。

たとえば、私たちは今年の五月五日から十八日にかけて「米台防疫ハッカソン（Cohack）」を行いました。七つの国（台湾、日本、アメリカ、イギリス、ドイツ、カナダ、ハンガリー）から参加したチームが、それぞれ「新型コロナウイルスに直面した場合に、ＡＩという方法を用いて、どのように対応すれば社会に受け入れられるか」をテーマに議論しました。

まず参加者たちには、ある程度の時間をかけて討論を行ってもらいました。その結果、アメリカの参加者が「先着順で急患を扱うべきではない」という意見を出しました。急患で患者が訪れたら、まず患者の個人情報を把握し、この患者が社会に対してどれくらいの貢献の可能性が残されているかをＡＩで計算するというのです。そして、あまり残されていなければば――一般的に言えば高齢者ということになるかもしれません――そうした患者の治療は後まわしにする。もし社会への貢献が多く残されているならば――きっと若くて健康な人でしょう――優先的に治療するというのです。こうした意見は、一見合理的に聞こえますが、台湾の社会では受け入れられないでしょうし、実際にこうしたやり方は違法です。

この問題の焦点は、このアイデアを提供した参加者が「ＡＩを用いて何をしたいか」というテーマを超えて、社会全体をある方向に導くべきであると考えているところにあります。こうしたケースでは、社会が貢献の残り度合いで患者を選別するような方向に導かれることを人々が望まなければ、仮にこの研究そのものが非常に実りあるものであったとしても、実際に試されることはありません。

逆に言えば、「米台防疫ハッカソン」で最終的に選ばれた上位五チームが作り出した成果は、世界のどこででも応用できるアイデアでした。

ご存知のようにＡＩは「Artificial Intelligence」の略で「人工知能」と呼ばれますが、私はむしろ「Assistive Intelligence」つまり「補助的知能」と捉えたほうがいいのではないかと考えています。ＡＩは人間の選別に使われるようなものでは決してなく、あくまでもソーシャル・イノベーションを進め、人間社会をより良くするために使われるものでなくてはならないということです。

「米台防疫ハッカソン」では、「ＡＩを用いたコロナ対策」というテーマを地域レベルだけでなく、都市レベル、国家レベルまで広げて討議しました。これらのいくつも討議された結果から政策決定者がどれか一つを選べば、有効な防疫対策となり、かつプライバシーも保たれる方式が採用できるでしょう。

ハッカソンで討議を重ねてわかったことは、ＡＩは一つのストーリー（たとえば、ＡＩを活用していかに防疫を実現するか）を可視化するツールになりうるということです。こうしたツールは、私たち個々人、あるいは私たちが所属するグループ、家族や地域が最優先され、自分たちの利益にならなければいけません。誰か一人のために個人のプライバシーが犠牲になるということはあってはならないのです。そして、ＡＩを使うことにより、それらは実現できるのです。

また、このとき議論された内容は、それぞれの意見に対して「参加者がどれだけ肯定的か否定的か（好きか嫌いか）」をＡＩが識別し、「k平均法」という方法で分析されました。

先に挙げたようにＡＩのシステムを通じて相互に討議し合ったのは、イギリス、ドイツ、ハンガリー、カナダ、アメリカ、台湾、日本でした。台湾と日本は道徳的に似ているため、日本人がおかしいと思うようなことを台湾人が提案することは少なく、日本もまた台湾側がおかしいと思うような提案をすることは稀です。それは問題を解決しようとするとき、日本と台湾の参加者は似たような価値観を持っているからだと思われます。

先ほど例として挙げたアメリカの提案も、ＡＩのソフトウェアが識別した意見の差（賛成・反対の差）が最大だったので、日本人にとっても受け入れがたいものだったのではないかと思います。

同時に、このＡＩソフトは、国をまたいだ多くの参加者に共通して高い評価の出たテーマを識別しました。実は、このＡＩソフトの仕組みは、非常に単純なものです。まず、いかなる提案であっても、それに対して他国の参加者は好き嫌いを表明することができます。また、たとえば私の提案した内容に対して好き嫌いのスコアをつける前に、他国の参加者は私の提案内容を自分たちで適宜修正して、自分たちの提案とすることが可能となるのです。その彼らの修正した提案に対しても、再び他の参加者から好き嫌いのスコアがつけられます。

このプロセスを何度も繰り返すうちに、ＡＩは「どういった提案が多くの参加者に好まれたか」「参加者はどんな提案が好きか嫌いか」といった内容を整理することができます。その結果、個人の好みによるグループが作られていくのです。

「・」で連結することによって起こるイノベーション

「圏論(けんろん)」という、とくに私が興味を持っている数学の理論があります。これは、一見違うように見えても同じように相互作用しているものについての学問です。「あるものの相互作用の仕方を、他の相互作用の仕方に自然と変換するにはどうしたらいいのか」を考えるのが、「圏論」の特徴です。

たとえば、「社会的企業」という名称は、これまで「社会的」が形容詞であり、「企業」は「社会」という単語によって修飾される名詞であると考えられてきました。しかし、「その考え方は違う」と主張する人たちがいます。「社会的企業とは、社会問題を解決することが本来の姿であり、社会こそが主体なのだ」という論理です。

そこで私は、社会と企業の間に「・」を入れて「社会・企業」という名称を考えました。この「・」は、「社会は社会に帰属し、企業は企業に帰属する」という意味で加えたものです。今、私たちが行っている仕事は、まさにこの中間点が表す「連結（・）」です。社会が企業とつながるこの「・」こそが、イノベーションであるというわけです。

イノベーションが起こった後の社会は、イノベーションを通じて企業が発明した新しい製品やシステムとリンクされます。こうした力を私たちは社会のために応用でき、企業もまたイノベーションを通じて、新しい社会的価値を見つけることができるのです。

企業も社会に貢献しています。そう考えると、「社会と企業のどちらが主体なのか」ということではなく、両者は真ん中の「・」によって結合されたものであるということになります。さらに、この連結は環境やガバナンスや様々な価値ともつながり、最終的にはひし形になります。たとえどんなイノベーションであっても、帰結するところは同じです。

この方法は、台湾政府が推進する「亜洲・矽谷計画（アジア・シリコンバレー計画）」の真ん中に「・」をつけたのと同じことです。台湾のシリコンバレー計画は桃園（とうえん）を拠点とし、台湾全土を対象としています。三年半前に計画をスタートさせ、とくにシリコンバレーをはじめとした世界の企業——グーグルやマイクロソフト、アマゾン——が台湾を「市場」にするだけでなく、研究開発の場としてくれることを目指したものです。それがこの三年半の間にかなり良い成果を生んでいます。たとえば、グーグルのアジア最大の研究開発総本部は台湾にあり、世界の大企業の中には百人以上のスタッフを抱えた研究開発チームを置いているところもあります。

これは太平洋に埋設された光ファイバーケーブルが台湾に直結し、香港にはつながっていないことも功を奏したのかもしれません。このため、「台湾がイノベーションの源泉になる」

と言ってくれた人もいます。台湾には言論の自由がありますが、中国ではグレート・ファイアーウォール（中国本土のインターネットに存在する情報検閲システムと関連する行政機関のこと）によってイノベーションの空間がどんどん狭くなっているからです。香港出身の友人で、台湾に残ってイノベーションを続けている人もいますし、私のオフィスにも、もともと上海で働いていたというスタッフが何人かいます。

それはさておき、この計画はシリコンバレーのものまねをアジアに導入しようとするものではなく、シリコンバレーをアジアに移転させたいわけでもありません。要は、「シリコンバレーとアジアをつなぐ役割を台湾が担いたい」というものです。「シリコンバレーの問題を解決できる人材であれば、アジアの社会問題を解決できるだろう」という期待を込めているのです。

逆から見れば、シリコンバレーで起きた問題をアジアで解決することも可能です。ですから、この場合でもどちらが修飾語という問題ではなく、相互にリンクしていることになります。アジアとシリコンバレーの連結と、社会と企業の連結は、実際にはまったく関係ないものかもしれません。しかし「・」を用いることで、それぞれが形容詞と名詞の関係から名詞と名詞の関係になり、さらにイノベーションによって連結されたこれらの関係は、同等レベルのものへと転換されるのです。

これが「圏論」という学問で、一見まったく関係のないようなテーマを同じように扱うことで、同じように良い結果を得ることを考えるのです。

インクルージョンや寛容の精神は、イノベーションの基礎になる

性質が完全に異なるといえば、化学における反応は物理における基礎で、化学における分子式もまた物理の法則に基づいています。仮に物理と化学がまったく関係ないのであれば、物理の法則を化学者が使うことはできず、化学者の発明したものを物理学者が研究すべきではないということになってしまいます。しかし、理論物理学は実験物理学から派生したものであり、実験物理学は化学的な方式を用いて物理の理論の検証を行うものです。この場合、実験物理学者は、理論物理学者と理論化学者の中間に立って両者を結ぶ役割を果たしているのです。

生命科学の分野では、現在、新型コロナウイルスのためのワクチン開発が進んでいますが、このワクチン開発にも化学の知識は必要とされます。もし化学の知識がなければ、ミクロの尺度でウイルスの繁殖を妨害したり、新しい化学材料によってウイルスが人体に入り込むのを阻止したりなどできません。

また、マスクは一つの物理の技術によって製造されたものです。マスクは、ファンデルワールス力（分子と分子の間に働く弱い引力）というものを使って微細なウイルス分子がマスク表面にある物理的物質によって吸着され、ウイルスの侵入を防ぐ仕組みになっています。

つまり、生命科学の分野でも、薬やワクチン、マスクそれぞれに物理や化学の知識が必要なのです。それらの知識があってはじめて、どの方式を使って開発するかということが考えられるのです。このように、物理と化学は性質こそ異なっていますが、相互に関係し合っているのです。

一方、宗教の中には、人と人との違いを奨励する宗教もあります。しかし、仏教ではすべての生物の平等を語っていますし、道教の観点から見れば「人の数だけ神がいる」ということになります。これらは比較的インクルーシブな宗教と言えるでしょう。というのは、「私の信じる宗教の神とあなたの信じる神のどちらか一方しか選べない」というような状況にはならないからです。

実際、道教の後期には、どんな神も道教の中に入ってくることができるようになりました。つまり、既存のどんな宗教も道教を否定することなく、道教と相互に共存することができるのです。民間の宗教を信仰する友人の中に、ローマ法王と議論する目的でバチカンに行った人がいますが、ローマ法王が一神教の信仰しか認めないという頑（かたく）なな態度であれば、議論は難しいでしょう。

台湾にはインクルージョンあるいは寛容の精神があります。だからこそ、精神や信仰といった面においても、人々と協調し、発展することができるのです。また、自分とは異なる神を信仰している人を敵とみなすこともありません。他の宗教の神について知らないだけかもしれませんが、そうした別の信仰についても「知ろう」と思う態度を持つことが、よりインクルーシブな社会へと進むカギになるのではないでしょうか。

これは日本人の考え方にも似ているように思います。日本人は一つの物、場所、概念、果ては言葉にまで、「神が宿る」という考えを持っていたはずです。道教で信仰の対象となるのは、人間が多い（関羽や月下老人など）のですが、台湾の民間信仰では、日本と共通した部分が非常に多くなります。それこそ一つの石に願掛けをして、願いが叶えばその石を神様として崇めるというようなこともあります。

こうした点で、日本と台湾は似ているように思います。「人間として優れているから、神として奉られる」のではなく、「どんな物であっても、人間の心を感動させたり、何かを感じさせたりすれば、それで精霊が宿る」という考えです。

こうした考えは、インクルージョンあるいは寛容の精神によって支えられています。それがあることによって、ソーシャル・イノベーションがより進みやすくなるということも言えると思うのです。

三つのキーワード「持続可能な発展」「イノベーション」「インクルージョン」

これから世界を開くカギになるのは「ＡＩ」「５Ｇ」「クラウド」「ビッグデータ」などの技術ではありません。すべては「持続可能性」を実現するために何が必要なのかという視点から見ていくべきでしょう。

台湾の現在の教育の基礎となっている「自発性」「相互理解」「共好（共同作業）」といったものも、持続可能性を実現するためのキーワードです。

今後の企業の課題ともいわれるＤＸ（Digital Transformation）についても、最も重要なのは「持続可能な発展」であり、誰も置き去りにしない「インクルージョン」という姿勢です。私たちの世代で運用された技術によって次世代の環境が破壊されてしまっては意味がないのです。「地球にはもう住めないので、早く火星に移住しなくちゃ」というようなことを本気で提唱する人はいないでしょう。

また、私は台湾においてとくに「イノベーション」を重視しています。イノベーションも、これからの世界のキーワードの一つになると思います。イノベーションとは、新しい技術によって既存の社会構造を進化させるだけではありません。私たちの社会が持つ異なる可能性に想像を働かせることを後押ししてくれるものです。それゆえ、イノベーションもまた非常に重要なものであると考えています。

ただ、台湾でイノベーションを進める場合、私が常に言い続けていることは、「わずかな部分あるいは少人数のためのイノベーションによって、弱者を犠牲にしてはならない」ということです。むしろ、「イノベーションとは、より弱い存在の人たちに優先して提供されるべき」ものであり、それこそが誰も置き去りにしない「インクルージョン」です。私たちの社会には、多種多様な人たちが生きていることを忘れてはいけません。

たとえば、台北駅のコンコースの床には、たくさんのスマイル（笑顔）のイラストが描かれ、たくさんの言語が書かれています。これは「床に座り込むのはけしからん」などと思わせないような配慮です。台北駅のコンコースは、誰が座り込んでも許される場所です。どんな言葉を話す人でも、自由に利用して良い場所です。

このような配慮がなされた背景には、言葉が通じないことによって起こる他国の人たちとのトラブルがありました。

現在、台湾はフィリピンやインドネシア、ベトナムなどからの出稼ぎ労働者を多数受け入れています。多くの場合、男性は工事現場や工場などでの仕事、女性は介護やメイドなどの仕事に従事しています。週末になると、彼らは交通至便でエアコンも効いている台北駅のコンコースに集まって座り込み、そこで故郷の食べ物を持ち寄っておしゃべりをするのが習慣でした。

しかし、新型コロナウイルス感染防止対策や「外国人が大量に集まっている光景は異様」という市民からのクレームがあり、鉄道局はいったんコンコースの座り込み禁止を決めました。しかし、政府が永続的禁止の措置に待ったをかけ、抗議も相次いだため、鉄道局はコンコースの利用を認める方向に転じると同時に、前述したようなペイントを施したのです。

台北駅のコンコースのイノベーションとは、社会のイノベーションに他なりません。このイノベーションは社会における相互理解のためのものであり、まさにインクルージョンです。こうしたことから、今後は「持続可能な発展」「イノベーション」「インクルージョン」の三つが、社会を前進させる重要なキーワードになると私は考えています。

実際のところ、台湾では誰もが「自分たちはもともと漢民族だった」「異文化と交流すべきだ」などと考えているわけではありません。「自分はこの台湾という島の人間でしかなく、外の世界は全部外国だ」と思っている人もいます。もちろん、これもまた一つの考え方です。

しかし、時代を経るにつれて、とくに私たちのような比較的新しい世代では、「両親それぞれの母語が異なる」という子供も増えてきています。いわゆる「新台湾の子」です。こうした状況は、時間が経つに連れて徐々に主流の考え方になるのではないかと思います。台湾は本来、非常に多元的な共存の場所でした。たとえば中国語の発音が少々変だとしても「おまえは台湾人じゃない」などと言われることはありません。戒厳令の時代にそのような事実があったことは否定しませんが、現在の台湾は間違いなくインクルージョンの方向に歩んでいるといえます。

その一例を挙げるならば、台湾には「国家言語発展法」という法律があり、二十以上の様々な言語が国家の言語として認められています。台湾語もまた国家の言語であり、中国語だけが公用語という状況ではありません。

また、台湾の手話を教えるイベントも、私の執務室のあるラボで何度も行われています。私も手話を使う人たちと一緒に写真を撮ったりして、これらのイベントを応援しています。私の手話は上手ではありませんが、他人の手話を見てわかる部分はけっこうあります。新型コロナウイルス対策で設けられた衛生福利部の指揮センターが、毎日午後二時から定例記者会見をしていましたが、指揮官の後ろに必ず手話通訳がついていました。その手話通訳を見て、一つ二つの手話を覚えた人も多いと聞きました。誰かが無理やり手話を覚えさせたわけではないのに、です。

これもまた聴覚障がい者という弱者を置き去りにしないというインクルージョンの表れだ

と思います。社会を発展させるためには、そのような寛容さが一番大事なのです。

未来をモデル化し、複数の方式を試行する

デジタルの特徴として挙げられるのは、デジタル空間が現実の空間とはまったく異なるということです。デジタル空間には、数多くの異なる可能性を共存させる方法があります。そうした観点から見れば、「次世代の可能性を勝者が決める」ということにはなりにくいと言えます。

たとえば、現実の世界では一つの空間に二つの異なる建物を配置することは難しいでしょう。どこの国でも同じようなものだと思いますが、台湾の国土計画では現実的かつ全体的な視点から、どこに何を建設するか、どの場所には何が必要かを考えます。

自分の好きなことだけを行って、それで済むのであればいいのですが、現実の社会は多くの人間がまるでハチの巣をつついたような中で生きています。そんな状況では、「自分の好きなことを行う」ということが全体に悪影響を及ぼすこともあり得ます。

世界の姿をそういう前提で見るとすると、デジタルには二つのメリットがあります。

一つは、企画段階で未来がどうなっているかをモデル化できるということです。「こうし

たい」ということがあれば、「それをすると実際にどうなるか」がシミュレートできるわけです。その結果を見つつ、「それではここのやり方を修正しよう」ということも可能になります。これはデジタル化が有益であることをよく表しています。

二つ目のメリットは、デジタルのイノベーションと同等に重要なのですが、デジタル化の段階は、「現実世界のロジックによって行われた結果よりも良くなる」ということです。ある結果が期待どおりでなかった場合、デジタルの方式であれば「ロジックを変えてみよう」「違うシステムでやってみよう」というように、違った方法を新たに選択することが可能です。それで再試行すれば、もしかするとより良い結果が出るかもしれないわけです。

「他にもまだいろいろな方法がある。試してみたい」という声が上がってきた場合、それをリアルな空間で実行するには、いろいろなハードルが出てきます。しかし、デジタル空間であれば、比較的簡単に試してみることができます。そういう点で、デジタル化やデジタル・イノベーションにはメリットがあると思うのです。

デジタル化とデジタル・イノベーションは、この社会にすでに存在している処理の方式や組織の価値観を増加させたり強めたりするものです。だからこそ、先ほどから言っている「持続可能な発展」「イノベーション」「インクルージョン」といった価値観を先に植えつけることが大切なのです。なぜなら、これらの価値観が不安定であれば、デジタル・イノベーションがおかしな方向へ進んでしまうことになりかねないからです。

たとえば、自由かつ民主主義を信奉している人にとって、全体主義はマイナスなものだと思えるでしょう。反対に、独裁主義を信仰している人からすれば、言論の自由はマイナスに見えるでしょう。ある物事がプラスなのかマイナスなのかは、誰に聞くかによって変わってくるのです。

全体主義のもとでデジタル化してイノベーションを起こし、顔認証で一度に何千万人もの人間のデータを確保することも可能ですが、その目的は民主主義が求めているものとはまったく違うものになるでしょう。ですから、「デジタル化」や「デジタル・イノベーション」というくくりで、民主主義と全体主義を一律に論ずることはできないのです。

私たちはその点を見誤らないようにするためにも、最初に「持続可能な発展」「イノベーション」「インクルージョン」という三つの旗を掲げて、向かうべき方向についての共通認識を持つ必要があるのです。

積極的なデジタル化の促進でDXを高めている台湾の中小企業

台湾と日本の共通点として、中小企業が多いことが挙げられます。台湾の中小企業はサプライ・チェーンが非常に柔軟性に富んでいるのが特徴で、たとえば、私がどこかから仕入れをしようとして在庫が不足していると、第二、第三、第四というように予備のサプライ・チェーンを使うことができます。

これは政府主導のマスク製造機を作ったときにも当てはまりました。「マスク製造機を作ってくれるのであれば、マスクメーカーでなくても構わない」という条件を掲げたところ、参入した会社の一つは航空宇宙エンジニアリングが専門の会社でした。この会社は、公共の利益を求めてプロジェクトに参加してくれたのです。彼らは自社の専門性を生かして、生産ラインの最適化を助けてくれました。

マスクを生産する全工程を見れば、上流・中流・下流にありとあらゆる専門家が集まって、一種の生態系のようなものを作り出していることがわかるでしょう。これが台湾の製造業の現状です。

サービス業にも言えることですが、台湾では、新しい概念、たとえばＡＩのような新たなテクノロジーが出てくると、最初にＴＳＭＣ（台湾発の世界最大の半導体メーカー）が採用して実用化し、次に中小企業はそれを真似るというようなプロセスにはなりません。逆に、まずは中小企業が飛びつくのです。

「うちの会社の品質管理部門では作業員が品質チェックするのに時間がかかりすぎるので、

ＡＩで管理できないか」とか、「作業員が集まらないから、代わりにならないか」とか、「作業員を機器に置き換えたいときに使えるんじゃないか」などと考えるのです。

たとえば、製品の製造工程にパラメータが多すぎる場合、以前は経験で処理されていました。つまり、ベテラン作業員の経験に頼っていたのですが、ベテランがいなくなったら誰も作業がわからないというのは大きな問題です。かといって、見習いをベテランの横に十年も二十年も置いて学ばせるわけにもいきません。

そこで「ベテラン作業員がＡＩにコツを伝授することはできないだろうか」と考えるわけです。ＡＩの見習いであれば、ベテランの作業を半年とか一年観察して、パラメータの調整方法を身につける可能性があります。中小企業では、このようにＡＩを有効活用して、問題の改善を図ろうとするのです。

台湾にはＡＩスクールのようなものがあり、中小企業の経営者がこのような問題に取り組むことができる仕組みになっています。また、中には「ＡＩを学びたい」と自ら研修生として訪れる経営者もいます。研修生は教科書的な問題を解決しようとしているのではなく、品質管理の改善方法や歩留まりを上げる方法など、具体的な問題を解決しようとしています。

いったんＡＩスクールで学んだ人が問題の解決策を見つければ、それはサプライ・チェーンの再編にもつながるでしょう。同時に、彼の持つ企業のＤＸ（デジタルトランスフォーメーション）がさらに高まることにもなり、ソリューションを同業他社と共有することも可能になります。それによって彼の企業のイノベーションは、産業分野における垂直的な「伝授」ではなく、水平的な「拡散」として広がっていきます。これが台湾の中小企業の一つの特色と言えるでしょう。

イノベーションを進めるほど、仕事はクリエイティブになる

いかにしてエンジニアのスキルと結合させてデジタル化を進めるか、あるいは社会全体の能力をどのように結合させれば社会のデジタル・イノベーションが可能になるかを考えることが、ＤＸを成功させるための基本的な概念になります。

過日、国立中興大学で講演を行いました。そこに台中市を基盤としたデジタル・コンバージェンスに関わる経営者が参加していました。この会社は、デジタルと有線のテレビコンテンツを取り扱っていますが、最近になりＬＩＮＥ ＴＶと提携関係を結びました。しかし、この経営者は自社でもケーブルテレビを持っており（台湾では百局以上のケーブルテレビが乱立している）、新しい技術であるＬＩＮＥ ＴＶと従来の伝統的なケーブルテレビのコンテンツという、いわば競争相手ともいえる両者を今後どのようにして結合させていくべきか悩ん

でいるという話をしました。

私は、「デジタル・イノベーション」という考えに基づき、ケーブルテレビのような古い形態と、最新のＬＩＮＥ ＴＶを結合させていくことは可能であると考えていますし、それはむしろ素晴らしいアイデアだと思うのです。

ある銀行の例を挙げましょう。今回の新型コロナウイルスによって影響を受けた企業に対し、各銀行は政府の委託を受けて緊急ローン貸付を行いました。ただ、審査作業が煩雑で、他の銀行が一定程度の件数しか処理できなかったのに対し、この銀行は政府から銀行に委託された件数のうちの四分の一に及ぶ案件を引き受けたのです。なぜそんなことが可能だったかといえば、この銀行は審査をＡＩ化していたからです。

たとえば、ある人がローンの申込みをしてきたとします。この人は以前に何度もローン審査に合格していて、そのときと条件は変わっていません。改めて審査をする必要はないのです。この銀行では、このようなケースはＡＩによる審査に切り替えました。すると、実際にローンの申し込みしてくる人たちの三分の一が同じような状況であったため、審査内容をいちいち詳しく見る必要がなかったのです。

その結果、銀行業務の三分の一に当たる作業がＡＩにより代行できるようになりました。こうしてＡＩを活用したローン申し込み審査の新しい方法が生まれたのです。これによって人間は、よりイノベーショナルな仕事に集中できるようになりました。

もう一つ例を挙げましょう。ある産業用機械を製造するメーカーでは、これまで機械にセンサーや通信機器などが取りつけられていませんでした。そのため、製造途中の歩留まりや修理の要不要、あるいは生産ラインのどの部分を改善すれば効率が上がるかなどを把握できずにいました。そこでこの会社では、それらの情報を把握するため、ＡＩを使ったシステムを自社開発し、それにより、事業が格段に進展することになりました。

以上の事例は、「メディア」「サービス」「製造業」という三つの産業において、どのようなデジタル・イノベーションが行われてきたかを示す好例です。

銀行の三分の一に当たる作業をＡＩが自動で行うことができるというのは、素晴らしいことです。ただ、この事例に限って言えば、ＡＩは、残りの三分の二の仕事についてまだ行ったことがないため、信頼して任せることはできません。結果的にこれらの部分は、経験を持つ人間が判断する必要があります。これは実際に銀行で起きている事例として中興大学でも話したことですが、「ＡＩによって人間の仕事が奪われる」というのはやや誇張した言い方だということです。

たとえば、コンピュータがあってもデータを分析するアナリストの仕事は必要です。すでに「自動レイアウト」というシステムが存在しますが、編集という作業は人間の手で行われなければなりません。「ＡＩを導入すれば人間の職業が消える」ということはありえないのです。ある仕事のうち「重複性が高い部分については、ＡＩや機械に任せる」というスタイルに変わるだけです。

ＡＩが代行するようになった仕事に就いていた人は、今度はＡＩを誘導したり訓練させたりして、「新しいデバイスに取り込める部分はないか」と探すように仕事を始めればいいのです。実際、いくらでも替えが利くような仕事を進んでしたいと思う人はいないでしょう。そういう仕事には、達成感もありません。だから、そこはＡＩや機械に担ってもらえばいいのです。要するに、イノベーションを行えば行うほど、人間の仕事はよりクリエイティブになっていくということなのです。

第五章

AUDREY TANG
THE FUTURE OF DIGITAL INNOVATION

プログラミング思考

デジタル時代に役立つ「素養」を身につける

都市と地方との教育格差を是正する「デジタル学習パートナー」

第一章で「台湾では地方に5Gを優先的に設置している」というお話をしました。その目的の一つとして、「都市と地方の教育格差の是正を図る」ことが挙げられますが、この問題の解決について言えば、5Gを優先的に設置することは、その一つの方法でしかありません。私たちは、他にも様々な方法を試みています。

たとえば、地方の子どもたちは、都市部の子どもたちに比べて多様な刺激を受ける機会が少ないため、将来の様々な可能性をイメージしてもらおうと、先生がキャリアカウンセラーの役割を担うケースがあります。また、家庭に問題があったり親がいなかったりという場合には、夕方になると先生がその役割の一部を担わなければならないことがあります。これは地方でよく見られる事例です。

こうした都市部の先生とは異なる役割や仕事を求められる地方の先生方は、大変苦労しています。そこで、その苦労を分かち合うために、「デジタル学習パートナー」と呼ばれる人たちを配置しています。これは「都市部の大学生が、デジタル機器を通じて、地方の生徒たちと一緒に学習する」というシステムです。「デジタル学習パートナー」となった大学生は、地方の子どもたちが知らない世界や様々な生活経験が存在することを教えます。それによって、子どもたちの想像力を刺激するのです。

　また、この方法によって、先生たちにプレッシャーが集中することを回避できます。「デジタル学習パートナー」がプロの教師の代わりになるわけではありませんが、デジタルの力を活用して、地方に独特の問題を解消する手助けを行っているのです。

　こうした都市と地方の教育格差を是正するための努力は、台湾では公共部門だけが行っているのではありません。民間においても様々な成功例が存在することをお伝えしたいと思います。

　たとえば、「Teach for Taiwan（略称ＴＦＴ）」という僻地教育を行っているＮＰＯ（非営利組織）があります。ＴＦＴは、大学で教員資格を取得したけれど欠員がなくて正規の教員になれない卒業生を募り、僻地に派遣しています。台東（台湾東部）ではＴＦＴから派遣された先生方が、私塾のような形で教育を行っています。

　台湾の人たちが素晴らしいと思うのは、政府が着手するのを待つのではなく、必要だと判断すれば民間で始めてしまうスピードとパワーを持っていることです。私の母も、以前は友人と一緒にタイヤル族（台湾の先住民）の信賢部落という場所の近くに「種子学校」という一種の実験学校を設立しましたが、これも「政府の腰が重いのであれば自分たちでやってしまおう」という一つの好例です。

民間の人たちが努力した結果、現在では実験教育に関する三つの法案が成立し、実験学校に対しても通常の制度で運営される学校と同じレベルの自由度が与えられるようになりました。とくに先住民の居住する地域では、先住民の特色を持った実験学校がどんどん設立されて成功しています。原住民族委員会（先住民に関するあらゆる業務を所管する政府機関）からも、それらの学校に多くの資源が与えられています。

台北の冷房の効いた教室に閉じこもって「地方の問題をどう解決するか」について上から目線で討論するよりも早く、すでに多くの人が、現場に出て問題の解決を進めています。私たちは、そうした現場にいる人たちのために資源を確保し、法律上の障壁を取り除く手伝いを行わなければなりません。

先ほどのデジタル学習パートナーや、こうした先住民に対する教育などは、政府から予算が出ています。また、その予算がどのように使われているかについては、政府の予算監督プラットフォームを通じてチェックすることができるようになっています。

このように台湾では、デジタルを利用しながら公正な形で教育の平等を確保しようとする努力が続けられているのです。

オンライン授業の利便性と可能性

今回のコロナ対策として、台湾では新学期の開始を二週間遅らせ、夏休みも二週間遅れで始めることにしました。しかし、休校という形は選択しませんでした。最大の変化は、「密」を避けたということです。また、対面型のディスカッションを行う授業では、オンライン学習を応用する機会が増えましたが、これはマスクをつけていると相手の表情がわからないためです。また、ひとりでパソコンに向かっているときにはマスクを外して話すことができるからです。

ただ、オンライン授業といっても、子どもがそれぞれの家にいて学校とつながるという形ではありません。小規模のクラスやグループに分かれ、衛星のように、それぞれ異なる場所から大きな教室空間につながるような形をとりましたが、台湾では以前からそのようなオンライン授業がよく行われていました。

ビデオ関連のテクノロジーが発達したため、画像が不鮮明だったり音声が途切れたりといった問題もなくなりました。パソコンを開いて接続すれば、お互いの顔がはっきり見えるので、オンライン授業の弊害を感じずに授業を進めることができます。

「授業のデジタル化」といっても、その内容は実に様々なものがあります。たとえば、ビデオチャットや二つの教室を合併させる「ダブルルーム」、一人の先生が担任する教室にいて専門課程の先生が他の教室やスタジオなどの離れた場所で授業を行う「ダブルティーチャー」といった方法は、いずれも「空間」という制約を取り除くために考え出された方法です。つまり、別の空間にいても、同じ時間を共有しているのです。

私がデジタル担当政務委員に任命される前のことですが、台湾のテレビ局から子どもたちのインタビューを受けました。そのとき私はフランスにいたので、VRのスタジオで行われました。このインタビューで、私はVR内で3Dスキャンを受け、自分が小学生と同じ身長になるようなキャラクターを作りました。カメラマンたちがあらゆる角度から私を撮影して映像を人形のように縫い合わせ、別の技法で関節を調整することで、私が手を動かせばバーチャル空間の中の私も同じように動きます。

こうすることで、子どもたちは身長が百八十センチある私を見上げて話す必要がなく、同じ目線で、またより身近な空間で話すことができるようになります。これはすべての子どもたちに親近感を持ってもらうためになされた工夫ですが、あらかじめ録画されているビデオを見るより、ぐっと心理的な距離を近づけることができます。

こういうものも「授業のデジタル化」の一つの形と言えるでしょう。このように、デジタルの活用によって、教育の方法にも様々な可能性が生まれてきています。

大切なのは、子どもの関心がどこにあるかを大人が理解すること

オンライン学習の成功を左右するのは、「学習の進度がどの程度によるか」だと思います。研究課題の方向性が明確であれば、どのような研究資源にアクセスすれば良いのかを決めることができるからです。また、共通の問題点に対して学生あるいは研究者を集めて解決しようとする場合には、オンラインはより良い選択肢になる可能性があります。というのは、事前に多くの書面資料を交換しておくことで、自分たちの意見や観察角度をよりいっそう明確に表現できるからです。これは間違いなくオンラインの利点でしょう。

ただし、学習の早い段階で、明確な研究の方向性が見つかっていないのに、オンラインを用いると、相手の研究の意味を理解できない可能性があります。この場合には、ある程度のレベルに達するまで、自宅や地域の学習で、自分の興味のあるものや解決したい問題を見つけるのがいいでしょう。そうした基礎的な学習は、逆にオンラインの画面を通してはできない場合もあります。

また、実技や操作などを伴う学習については、オンラインは適しません。たとえば、「ど

んな肥料をやればよいか」「どういうふうに種をまけばよいか」を知ろうと思えば、ネットで農業理論の基礎を学べば済みます。おそらく、これはとても簡単に学ぶことができるでしょう。しかし、実際に田んぼへ行ったり、家畜と一緒に過ごしたりする経験は、ネット上では十分に積むことができません。このように実技や操作という面については、今はまだネット上の技術のみでは不十分なのです。

ただ、討論したり、理論を学んだり、抽象的なものを学んだり、という知識の面では、むしろネットを通じたほうが実際に対面するよりも明確に学べるようになっていると思います。オンラインであれば、反復学習が可能ですし、自分のペースで学習することができます。さらに、そこで創作されたものは知育チャンネルなどを使って比較的容易に発信することも可能です。

最も重要なのは、「必ずこうしなければいけない、これを勉強しなければいけない」と考えず、特定の方向性を設定せずに学ぶこと、そして「いかに好奇心を持つか」ということです。好奇心が自分の中に湧き上がってきた時点で、先ほどお話したようなお互いに共通の価値を持った学習方法に移行すればよいのです。

ですから、すべては学習を行う本人次第です。もし自分の子どもに興味があること、あるいは解決してみたい問題があるかどうかと尋ね、子どもが熱心に「ある」と答えれば、オンラインを利用した学習方法を使えますし、まだ見つかっていないということであれば、別の学習方法を用いればいいでしょう。

このときに大切なのは、「子どもが興味を持ったものを破壊しないようにする」ことです。そのためには、子どもが何かに興味を持ったら、すぐに励ましてあげるのです。

台湾の親には、「医者になってほしい」とか「看護師になってほしい」とか「エンジニアになってほしい」といった、ある一定の固定観念があります。しかし、子どもの関心は必ずしも親が望んだ職業と合致するとは限りません。もしかすると服のデザイナーになりたいかもしれないのに、「医者になれ、看護師になれ、エンジニアになれ」というのは意味がないことです。下手をすれば、両方への興味が台無しになるかもしれません。

子どもの関心を破壊してしまえば、結局、子どもの成績も良くはならないでしょう。そうなるとやはり、「本人の興味のあることを励まして背中を押してあげる」ことが一番良い方法ではないかと思います。

興味や関心が見つからないのに大学に進学しても意味はない

台湾では、新しい指導要綱が作成された際に、高校三年生は卒業後に大学に進学せず、そのまま社会に出てもいいけれど、その後に何かを学びたいと思えば、再び大学進学の道に戻ることができるようになりました。生涯学習というプロセスを考えると、いつでも大学に行くことができるようにしたのです。

大学は常に存在しているので、高校卒業のタイミングで無理して進学する必要はありません。実際、多くの十八歳の若者たちはそう思っています。ただ難しいのは、親が必ずしもそうした考えを共有していないということです。親の世代は「少なくともあと四年勉強して、まずは学位を取るべきだ」という考えを常に持っているからです。

しかし、次の立法院では、十八歳を成年とする法案が可決されるかもしれません。可決後は、親が大学に行かせたいと思っても、子どもが親に「一、二年待ってください」と言ってもいいのではないでしょうか。

私自身は中学を中退してネットで自主勉強をしましたが、だからといって、高校や大学に行く意味がないとは考えていません。高校へ行く意義は、「自分がどんな問題を解決したいのか」という関心を探ることでしょう。今の高校制度では、学ぶ科目が選択制になっているので、自分が直面している状況や問題意識、関心の対象をすべて高校で学ぶ科目に落とし込むことができます。それによって、「自分が社会の何に関心を持っているのか」「社会の要求をどう受け止めるのか」「どのようにして共通の価値観を生み出すのか」などを考えながら学ぶことができます。

「大学のどの学部で勉強すればいいのか」と聞かれたら、私はいつも「何を勉強したらいいのかわからないのであれば、まだ勉強を始めないほうがいい」と答えています。自分が解決したい問題があれば、その問題に取り組めばよいですが、自分の方向性や問題が見つからない場合、大学に行っても何も役に立ちません。

一つ例を挙げるなら、以前はユーチューバーであることは個人的な趣味として捉えられていましたが、最近は、有名なユーチューバーの中にはテレビに出ているタレントより稼いでいる人もいます。昔は特定のテレビ局しかなく、芸能の仕事につける若者はほとんどいませんでした。一〇〇〇人が芸能界に入っても、タレントとして注目されるのはごく一握りだったのです。でも現在のユーチューバーであれば、誰かのアシスタントになる必要もなく、自分のチャンネルを立ち上げて、それがヒットすれば、すぐに有名になることができます。実際に、大学在学中や卒業したばかりの人でも、ユーチューバーとして自立して学費のローンをすべて完済した人もいます。

これ以上、私が何か言う必要があるでしょうか？　自分の興味のあることを探して、それについて学び、仕事として生かしていけばいいのです。逆に、自分が興味や関心を寄せるものが何もないのであれば、わざわざ大学に行く必要はありません。だから、「自分の興味や関心がどこにあるのか」を探し出すことが先決になるのです。

様々な学習ツールを利用して学ぶ、生涯にわたる「学習能力」が重要になる

台湾では、かつて多くの高校や大学において、夜間部が存在していました。その後、生涯教育の一環として、休日や空き時間を使って学習できる学校、たとえば「国立空中大学」(日本の放送大学にあたる)や通信教育が整備されてきました。それに加えて、現在はネット教育も選択肢の一つになっています。

私は、これからの時代は生涯にわたる「学習能力」が重要になると確信しています。様々な分野を学ぶことに楽しみを見出すことができれば、人生の幅はもっと広がるでしょう。楽しみながら学ぶのは、決して悪いことではありません。

学習には「こうするべき」ということはありません。各自の「優秀」の定義は、広範だからです。だから、「このようなやり方をしているので、優秀ではない」と簡単に決めつけてはならないと思います。これは家庭や学校だけでなく、企業でも同じです。私たちの国は国民国家であり、民主国家であって、決して企業の国家ではないのですから、人に対して安易にレッテルを貼ることは避けるべきです。

六十歳で会社をリタイアしても、台湾人の多くは起業したりボランティア活動を行います。むしろ定年後に黄金時代を迎えると言ってもいいかもしれません。会社は退くけれども、そのまま休むわけではありません。

一つ例を挙げましょう。台湾で一九九九年に発生した921大地震の後に、こんなことがありました。日本の建築家である坂茂（ばんしげる）氏が、彼の作品である「紙の教会」を分解して台湾に送り、それを組み立て直して台湾中部の南投県に設置したのです。当時、その地域は非常にさびれた場所でしたが、「紙の教会」ができたことがきっかけとなり、人気の観光スポットになりました。数多くの観光客が訪れ、地場産業にとって大きな助けになりました。

この案件にはたくさんの人たちが関わっているのですが、中でも、リタイアして時間に余裕のある人たちが、現役時代にもまして一生懸命取り組んでくれました。私たちは彼らを「黄金聖闘士」と名づけました。日本のアニメ『聖闘士（セイント）星矢（せいや）』をもじってつけた名前です。彼らは地域作りに大きな貢献をしてくれています。

こうした生き方は、台湾では一般的です。仕事をしながら自分で起業するとか、早めにリタイアして創業するとか、いろいろな方法があります。私の父も、リタイア後は非営利の教育活動に携わり、台湾全土を駆け回っています。私自身も三十三歳でリタイアして、今は公益のために楽しみながら仕事をしているわけです。

台湾では、大人が「空中大学」や通信教育のような学習ツールを使い、社会に出た後も学び直しの経験があるので、子どもがネットを使って学んでいくことにも理解があります。現在では、ＥＭＢＡ（Executive MBA）の学位をネットで取得することも可能になっています。大人にそうした経験があれば、自ずとネット教育の良さも理解されてくるでしょう。

デジタルに関する「スキル」よりも「素養」を重視する

日本の小学校では、今年（二〇二〇年）からプログラミングの授業が始まったと聞いていますが、私は、デジタルに関する素養とスキルはまったく同じものではないと考えています。「スキル」というのは、求められていることを時間内に、そして一定の条件の下で素早く正確にこなせるようにすることです。ある条件下で時間内に仕事を完成させるための「設計図」を書くことができるのは、立派な能力です。

しかし、私はそのようなスキルよりも「素養」（平素の学習で身につけた教養や技術）を重視しています。その主な理由は、ほとんどの子どもたちがメディアリテラシーの単なる受動的な読者ではないからです。実際、子どもたちはクリエイターでもあります。もしかすると、私よりＳＮＳのフォロワーが多い子どももいるかもしれません。

私は子どもたちにイノベーションのパートナーになってほしいと思っています。指示された後に情報を探し始めるような子どもにはなってほしくないのです。そのために必要なのは、「スキル」ではなく、「素養」なのです。

子どもたちが、「自分が興味のある問題や公的な問題を解決する以外の目的で、プログラミング言語を学ぶ」というのは、外国語を学ぶときに辞書に載っていることを完璧に暗記するようなものです。そんなことをしても必ずしも役に立つとは限りません。自分の関心を脇に置いてプログラミング言語を学ぼうとすることも、それと同じ行為です。

ただし、プログラミング言語ではなく、プログラミング思考を学ぶのであれば、話は別です。プログラミング思考とは、「一つの問題をいくつかの小さなステップに分解し、多くの人たちが共同で解決する」プロセスを学ぶことです。「最初から最後まで一人の力で解決方法を考える」やり方とは異なる方法を学ぶことで、どの分野でも通用する「問題解決の方法」が身につくでしょう。

もし、私が小学生だとすると、小学校の先生にはプログラミング思考、つまり「一つの問題を小さな問題に分け、複数が共同で解決する」という方式を、別の教科の授業にも取り入れてほしいと思います。要するに、プログラミング教育とは、「子どもにプログラミング言語を無理やり暗記させるようなものではない」ということです。

台湾では、数年前から小中学校でプログラミング教育が始まっています。ただ、実際はそれぞれの学校がそれを行えるかどうかを判断し、実施の是非を独自に決めています。台湾の場合、中学生の段階でやや専門的なプログラミング課程を学びます。それに対し、小学生の段階では、プログラミングのための素養を育てる課程を重視しています。

プログラミングの素養を育てる課程とは、それぞれの科目で先生たちが教えている内容を、プログラミングを使って教えるようなことを指します。たとえば、キーボードを打つことができなくても使うことができる入門用の「Scratch」というプログラミングソフトがあります。このソフトを使えば、音符の形をしたブロックをタブレットやモニター上でドラッグ&ドロップするだけで、いろいろなメロディが演奏されます。そのため、音楽の授業でこのプログラミングソフトを活用することができるのです。

このように、プログラミングを教科と切り離したものとして学ぶのではなく、音楽の授業の中で実際に使ってみることが重要なのです。先生たち自身が「自分とコンピュータが一緒になって、一つのメロディを作り出せる」という感覚を育てることが、プログラミング思考の素養を持つ子どもたちを育てることにつながるのです。それは小学生にプログラミングの用語を強制的に覚えさせることとはまったく異なります。

一番簡単なプログラミングは、たとえて言えば積み木のようなものです。「Scratch」というプログラミングソフトは、プログラミング言語を覚える必要がないため、子どもや年配者に適しています。これは白紙のキャンバスに一から絵を描いていくようなものではなく、すでに描かれたものを自分で調整していって完成させるイメージです。たとえば、二匹の虎が描かれていた絵に一匹追加して三匹にしたい場合、シンプルなプレゼンテーション資料を作るのと同じように、すでに描かれている虎をコピー&ペーストするだけで完成します。

こういうふうに話すと、「自分の力で作品を完成させなければ、達成感を得ることができないのではないか」と思う人もいるかもしれません。しかし、現在ではプロのプログラマーであっても、最初から最後まで一人の力だけでプログラムを完成させていません。多くの場合は「誰かの手で八割、九割まで書かれたプログラミングを修正しながら完成させる」という方法です。

こうした方法であれば、短期間で達成感を得ることができます。そして、プログラミング思考の素養を持つ子どもたちを育てるためには、このような方法のほうがいいのではないかと私は思います。

八歳のときに分数の概念を教えるプログラムを書く

今の段階で、台湾のプログラミング教育が成功しているかどうかを判断するのは、やや時期尚早ですが、成功しているのではないかと思われる点がかなりあります。それは、都会や田舎といった地理的条件の差を感じさせず、どんな場所でも高速ネット回線が存在し、プログラミングに関心のある子どもたちが環境（コンピュータ、ネット回線、教えることができる教師の有無など）に左右されることなく、学ぶことができる点にあります。

私がプログラミングを習い始めたのは八歳の頃でしたが、当時私が通っていた小学校でもプログラミングの授業がありました。その頃、ＵＳＢメモリーはもちろん、フロッピーディスクすら普及していない時代で、カセットテープを使ってプログラムを読み込ませていました。

このようなプログラミングの授業はありましたが、「義務教育なので一応みんな参加しなければならない」だけで、誰もがプログラミングを学ばなければならないわけではありませんでした。「プログラミングを学びたい人は学ぶ」というスタイルだったのです。

プログラミングに興味を持っていない子どもには、プログラミングへの興味を失わせないことが一番のポイントで、そのためには、無理やりプログラムを書かせるのではなく、自然にプログラミング思考を学ばせていくことです。そのようなことが小学校で積極的に行われていることは、非常に重要だと思います。

私はインターネットよりも早くパソコンと出会い、八歳の頃に最初のプログラムを書きました。それは分数の計算方法、つまり分数の概念を教えるプログラムでした。多くの子どもにとって、1／2と5／10が同じだというのは、決して直感的な概念ではありません。2と1は小さく感じ、10と5は大きく感じるからです。

私が書いたプログラムは、0から1までの直線があり、5／10と自分で数字を入力すると、数字の位置が直線上に風船によって表示されるというものでした。逆に言えば、表示された風船が何分の何の位置にあるのかを視覚的に捉えることができます。

仮に風船が1／2の場所に置かれているとしましょう。だいたい0と1の真ん中です。そこで5／10と打ち込んでEnterキーを押すとダーツが飛び出します。このダーツが風船に命中すれば、打ち込んだ数字が正解だったことがわかります。つまり、ダーツが風船に命中することで、5／10とは0と1の真ん中、つまり1／2と同じであることを理解することができるのです。

仮に5／10と打ち込んでダーツが風船に命中しなければ、風船は0と1の真ん中にはないことになります。そこで、どこにあるのかを確かめるために、6／10と打ち込んでみます。6／10でもダーツが当たらなければ、風船は5／10と6／10の中間にあることがわかります。ただ、分数は分母も分子も整数でなければなりませんから、5.5／10というのはダメです。そこでまた考えて、では11／20ならどうかと思いついて打ち込むと、ダーツが風船に命中します。だから、この位置は11／20であるとわかるわけです。

私が作ったのは、このような双方向的なやり方で分数を理解させるプログラムでした。私はこれを弟のために書いてあげたのですが、当時は似たような学習のためのプログラムをたくさん書いていました。そのときに使っていたパソコンは、父が勤務していた新聞社で使われていないものを持ってきてくれたものです。

八歳のとき、私は紙にプログラムを書いていました。だから「パソコンがなければプログラミングができないというわけではない」ことをずっと強調してきました。紙にプログラムを書くだけでも、プログラミング思考を養うことはできるのです。

私がプログラミングに夢中になった理由は、二つあります。

一つは、私は数学に大変興味があったものの、計算そのものには関心がありませんでした。計算はつまらなくて面倒だったので、パソコンが代わりに行ってくれれば数学の部分に集中して取り組めると考えました。つまり、「労力の節約」が一つの理由です。

二つ目は、自分が考えたプログラムを自分一人だけのものに留めておかず、「他の人とシェアしたい」と考えたことです。たとえば、自分で何かの計算をしても、そのプロセスは自分だけしか知りませんし、それを友達とシェアしたいと思っても簡単ではありません。しかし、誰かが「分数についての概念を学びたい」と思ったときに私が作ったプログラムを使えば、多くの人が遊び感覚で、それを学ぶことができます。言い換えれば、このプログラムはより多く人たちに使ってもらうことができるのです。私はその点に魅力を感じました。

この二つの理由から、私はプログラミングに夢中になったのです。

社会的な問題を解決する基礎となるコンピュータ思考

私が重視しているプログラミング思考とは、純粋なプログラミングを書くための能力や思考ではありません。これは「デザイン思考」や「アート思考」と言い換えることができます。プログラマーがプログラムデザインをする際に重要なのは、どれだけ多くのツールを持っているかではありません。これらのツールを利用して、物事を見る方法や複雑な問題を分析する方法を訓練することです。それが複数の人と共同で問題を解決するための基礎となります。

これがプログラミング思考であり、「デザイン思考」「アート思考」です。このアプローチを習得する人が増えることで、気候変動など、より大規模な共通の問題をより多くの人の力で解決できるようになります。大きな数字や統計データを見たり、地球規模的な問題に直面すると、「人間はなんと小さな存在か」と感じ、「こんな大問題に対処するのは不可能だ」と感じることがありますが、それはプログラミング思考ができていないからなのです。

一人で解決しようとするのではなく、「共同で考えればいい」と考えれば、対処しなければいけない問題が大きすぎるとか、手に負えないとはなりません。そのような複雑かつ大規模な問題を把握する能力を養うことは、社会に対する大きな貢献を行うことになると私は考えています。

このプログラミング思考、デザイン思考、アート思考は、広い意味で「コンピュータ思考」と言っていいでしょう。これらは一人ひとりにどのようにアプローチしていくかを考え、その人の視点でどう世界を見ていくかを考えるときの土台となります。この土台があって初めて、「共通の価値観にいかに集約していくことができるか」を考えることができるようになるのです。

先にも言及したように、プログラミング思考とは、解決すべき具体的な問題があるときに、まず問題を小さなステップに分解し、それぞれを既存のプログラムや機器を用いて解決できるようにするものです。これは問題の中にある共通部分を見つけ出す方法でもあるので、ある場所で問題を解決できた場合、別の場所でも応用ができます。

したがって、コンピュータ思考とは、問題を再び作り直すことにもつながるのです。「他の人と一緒に様々なプログラムを用いて協力し合って問題を解決する」というのは、一種の解体と再構築の方法と言えるでしょう。

コンピュータ思考の基礎ができていれば、次は自分が関心を持つ分野を学んでいけばいいでしょう。関心や興味がある分野について専門的に学び、知識や技術を身につけていくことです。繰り返しになりますが、そのための基本になるのが、プログラミング思考であり、デザイン思考であり、アート思考なのです。

デジタル社会で求められる三つの素養——「自発性」「相互理解」「共好」

デジタル社会を生きるためには、次に挙げる三つの素養が必要になると私は考えています。それは何かを成し遂げるために自分の心の中に必要とされる要素です。最初に断っておきますが、この三つは他人と比較して優劣をつけるものではありません。

まず一つ目は「自発性」です。これは、誰かに命令されたり指示されたりするのを待つことなく、自分自身で能動的にこの世界を理解し、何が問題なのか、私たちに何ができるかということを考えることです。

二つ目は「相互理解」です。これは、問題解決に至るまでの過程で他人とシェアすることを厭わず、同時に他人からシェアされたものに耳を傾けることです。文化や分野、業界、年齢などは、私たちがお互いに協力する上でのハードルとはなりません。むしろ、多種多様の異なる人たちとシェアし合い、相互理解し合うことを厭わないことが大切です。

ひとくちに「相互理解」と言っても、自分の価値観を服従を迫るような感じで他人に押しつけるような方法もあるでしょう。あるいは、自分の価値観を放棄して相手に迎合するようなこともあるでしょう。しかし、こうしたやり方の相互理解では、長期にわたって良い関係を保ち続けていくことはできません。

相互理解とは、お互いの立場あるいは人生の経験がまったく異なる私たちが、いかにして相手と共通の価値を見つけ出して、それを共有できるかどうかということです。そのため、持続可能であるかどうかが非常に重要となります。

問題に直面したときに逃げることなく、直視して解決する努力をすることが「自発性」です。その問題解決のプロセスにおいて、自分と異なる考えや立場の人との接触を恐れない姿勢、これが「相互理解」です。

図表４　デジタル社会で人間に求められる３つの素養

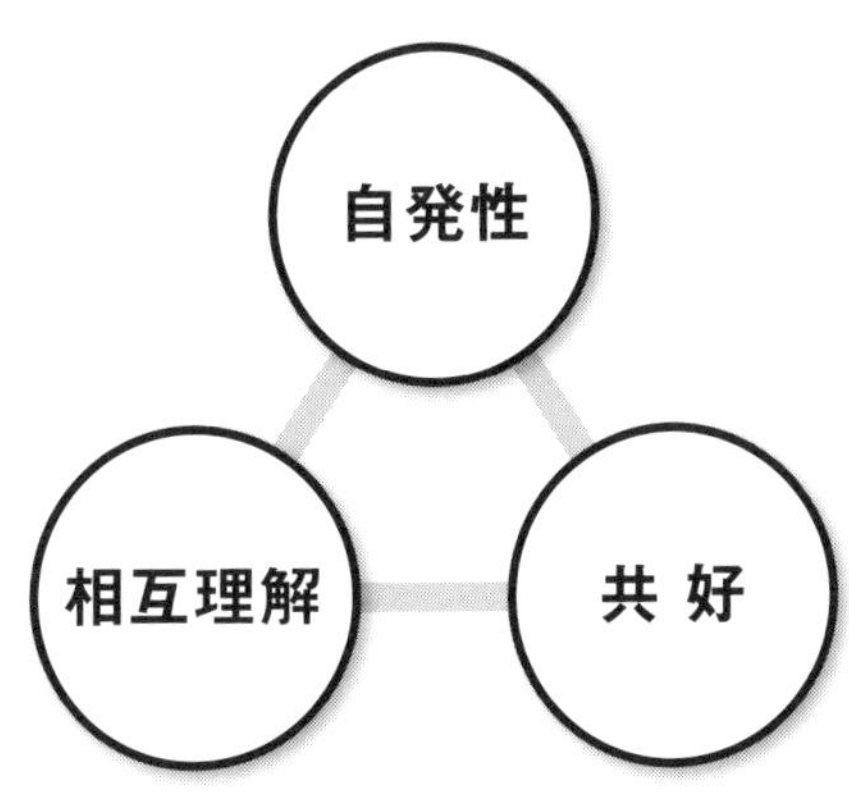

三つ目の条件は「共好」です。お互いに交流し共通の価値を探し出すことを、中国語で「共好（ゴンハオ）」と言います。これはもともとアメリカ・インディアンの「共同で仕事をする」という意味の「Gung Ho」の発音を中国語化したものです。相互理解のプロセスにおいて、相手には相手の価値観があり、自分には自分の価値観があります。それを常に頭の片隅に置いて、どうやって皆が受け入れることのできる価値観を見つけ出せるのかを考えながら共同で作業する。それが「共好」です。

この「自発性」「相互理解」「共好」の三つの条件が素養の核となるものですが、それぞれの条件の下には、様々な異なる側面があります。たとえば、先ほどからお伝えしているプログラミング思考は、科学技術を使い、より多くの人と、より多くの方法で、より正確に相互理解できるようにすることです。これは素養の核となる条件の一つである「相互理解」が持つ別の側面です。

スマホで使える辞典作りから始まった「萌典」プロジェクト

では、デジタルの素養を身につけるために具体的には何が必要なのか。

私自身の経験から言えば、「多くの人が共通して関心を持つ特定のテーマを見つけ、そこにある問題をどうすれば解決できるかを一緒に考えてみる」のです。その作業を通じて、自然とこうした素養が身についていきます。

たとえば、「どうすれば、もっと使い勝手のよい百科事典を作れるだろうか」というようなテーマについて考えてみるとすると、「みんなで一緒にWikipediaを編集していこう」といった一つの方向性が出てきます。あるいは、もっと便利な地図が欲しければ「みんなでストリートビューを備えた地図を作成しよう」と考えるかもしれません。さらに、今よりも高いレベルの公共サービスが必要だと思えば、「g0v」（零時政府）のような団体に加入するのもいいでしょう。

要するに、まず同じ関心を持った人たちを見つけ、そこからみんなの役に立つものを一緒に作り出すのです。結局のところ、自分自身が行う価値があると思ったことを行うこと、それをすることによって相互交流したり助け合ったりすることが、素養を育てる最良の方法となります。

　私が実際に関与した事例を一つ挙げてみましょう。

「萌典（モンディエン）」（https://www.moedict.tw/）というオンラインの中国語辞典があります。これは「g0v」を通して実現したプロジェクトの一つです。「萌典」を作ることになったのは、スマートフォンで使いやすい中国語辞典が欲しいと思ったからです。友人から、「台湾の教育部が製作したネット上の辞典はパソコンでしか使えない」という問題提起されたことがきっかけになり、それならスマホでも使えるように辞典を改造しようということになりました。

　辞典を設計し始めてみると、中国語だけではなく、客家語や台湾語も入れられることができるし、さらにはドイツ語やフランス語、英語など、複数の言語に対応した辞典にできることがわかりました。私たちはオープンソースの方式で進めていたので、アミ族の人がアミ語辞典まで入れて改造しました。

　最初、私たちが解決しようとした問題は「スマホで使いやすい中国語辞典を作りたい」という部分のみだったのですが、オープンにシェアできる方法にしたので、誰もがこのプロジェクトに参加することができたのです。それも私たちに同意を求める必要もなく、自分たちの問題を自分たちで考えることが自由にできました。だから、アミ族の辞典を入れたい場合、自分で入れればそれでいいのです。

その結果、一つの言葉を調べるときに多数の言語が参照できる辞典が完成しました。たとえば、「萌典」で「完善（ワンシャン）」（「完璧」という意味の中国語）という単語を入力すると、台湾語、客家語、英語、フランス語、ドイツ語の単語が出てきます。さらに、「善」という字をクリックすると、「良い」とか「善良だ」という意味だという説明が出てきて、いくつかの例文も表示されます。さらに、台湾語では何というか、「善」という字を使った諺にはどんなものがあるか、といった内容が表示されます。

多くの人たちは中国語を調べるためにこの辞典を使うでしょうが、それ以外の使い方もできます。たとえば、台湾では「ピンイン」という中国語を学ぶための発音記号が何種類かありますが、「萌典」ではそれらをすべて同時に表示することができます。また、台湾で広く使われている「注音（ちゅういん）」も表示できます。どれも少しずつ改良されてきたもので、台湾語を学ぶ人たちに最適化されています。

また、地域によって異なる数種類の方言の発音なども聞くことができます。たとえば、「発芽」という単語を客家語で調べる場合、地方によりそれぞれ言い方が異なります。諺も発音が聞けますし、アミ語の発音を聞くこともできます。アミ語を打ち込めば、アミ語の語尾変化も学ぶことができるようになっています。

このように、あらゆる言語を検索できる画面から、ピンインや注音、あるいは部首からも検索でき、画数からも検索できます。そういう意味では、全方位に対応した辞典になっていると言えるでしょう。

「萌典」は、たくさんの人たちとともに制作されたものですが、プロジェクトは二〇一三年に始まり、現在も続いています。発音は誰かが直接録音したものや、機械による合成音声もあり、もともと教育部が所有していた音声もありました。

この辞典は無料で使うことができますし、私は著作権も放棄しています。「作者の唐鳳は法律が許可する範囲内における権利を放棄した。この権利には、あらゆる関連かつ隣接する法律的権利を含み、公衆のために利用できるものとする」と書いてあるように、誰もが「私が作ったんだよ」と言っていいし、加筆修正する場合も私に尋ねる必要はないのです。何事もオープンにしていますので、誰もが修正することができます。そのため、「ここまでやれば完成」というものはありません。

この「萌典」には、残念ながら日本語は入っていません。それには理由があり、この辞典は著作権が放棄されたソースに頼っているからです。フランス語、ドイツ語、英語では、こうしたオープンソースでの辞典プロジェクトがあり、著作権が放棄された辞典が利用できました。ただ、日本語辞典に関しては、まだ著作権が放棄されたソースを探し出せていません。著作権が放棄されたものでなければ利用できませんので、もしそうしたソースがあれば、ぜひ教えていただきたいと思います。

ところで、「萌典」という名称が気になった人がいるかもしれません。そもそも私たちは台湾の教育部が作っていた中国語辞典を基礎にしています。教育部は英語でMinistry of Educationですから、略称は「ＭＯＥ」です。そのＭＯＥに日本語の「萌え」という単語を絡めました。日本語は入っていませんが、少しは関係があるとも言えます。また中国語では「萌」という文字は「萌芽」と使われるように、「これから新しいことが始まる」という意味があります。これらが重なって「萌典」という名称が生まれたのです。

先に言及したように、当初は教育部が作っていたネット上の国語辞典をスマートフォンでも使えるようにしようというのが、プロジェクトの始まりでした。このアイデアを出した葉平という友人は、アメリカ在住です。彼はこのアイデアを出してから、みんなと共同で、どのようなステップで作り上げていくかと案を練っていきました。台湾とアメリカは時差があるので、彼が寝ている間に台湾では作業が進み、台湾の作業が終わった頃には彼が起きてきて作業を引き継ぐ方法で進めていきました。こんなふうに、まるで友人同士があれやこれや話し合うようにして作り上げてきたのが、この辞典です。

私はデジタルに必要な三つの素養を「自発性」「相互理解」「共好」と言いましたが、まさにその三つが合わさるようにしてできあがったのが「萌典」なのです。

STEAM＋D教育の根幹となるサイエンス（S）とテクノロジー（T）

デジタルの進展に従って、サイエンス（Science＝科学）、テクノロジー（Technology＝技術）、エンジニアリング（Engineering＝工学）、アート（Art＝芸術）、マスマティックス（Mathematics＝数学）を統合的に学習する「STEAM」教育の重要性が言われています。さらに最近ではデザイン（Design）を加えて、「STEAM＋D」と呼ばれる傾向にあります。

最初の二文字のSとT、つまりサイエンスとテクノロジーに関する教育の重要性は、以前から指摘されていました。これに科学技術の応用である工学（Engineering）と科学技術の根幹である数学（Mathematics）が加わりました。しかし、これら二つの教育はサイエンスとテクノロジーの延長線上にあります。そう考えると、単にこの二つをどう使うかを教えるだけでいいのかという声も出てくるでしょう。

結局のところ、サイエンスやテクノロジーをイノベート（革新）していくためには、創造性が不可欠なのです。その使用法をいくら教えても意味はありません。そのため、創造性を養うことにつながる芸術（Art）が追加されたのです。

しかし、「芸術を創造する」というとき、特定の目的のためだけに使われるとは限りません。芸術は時としてまったく目的なしに創造される場合もあります。何か目的を持って創造したものは「デザイン」と呼ばれるものです。そのため、さらにデザイン（Design）が加わるようになったのです。

それはあたかも、もともとは「レズビアン（lesbian）」と「ゲイ（gay）」から「ＬＧ」と呼ばれていたものに、それだけでは性的マイノリティを網羅していることにならないため、「バイセクシュアル（bisexual）」と「トランスジェンダー（transgender）」が追加されて「ＬＧＢＴ」と呼ぶようになったのと同じです。結果的に、さらなるマイノリティが加わり、現在では「ＬＧＢＴＱ」や「ＬＧＢＴＱＩＡ」「ＬＧＢＴＱＩＡ＋」とも言われるようになりました。

とはいえ、「ＳＴＥＡＭ＋Ｄ」教育といっても、根幹は科学と技術（ＳとＴ）にあります。教育が進めば進むほど、様々な分野のものを次々と取り込みたくなりますが、核心はサイエンスとテクノロジーにあるというのが私の意見です。その理由は、科学技術とは一つのコミュニティであり、自分の考えや実験を発表することをためらわない場所だからです。それはソーシャル・イノベーションの出発点となる場所であり、ここから社会は発展していくからです。

その意味では、より多くの人が科学者・技術者になることができるようにしていくことが大切で、そのためには「科学技術の分野をもっとオープンにしていく」ことが重要になります。

一般的に、科学者というと、一つの仕事あるいは職業というふうに考えますが、最近では一日のうちわずかな時間を割いて貢献するだけで「市民科学者」になることができることが少しずつ知られてきました。たとえば、大気や水質などの測定をしてネット上のプラットフォームにデータを送るだけでも、科学者の一員になることができます。つまり、そうした行為を通じて、科学分野における仮説の形成あるいは仮説の検証、さらには発表といったものに参加しているのです。一日すべて使うわけにはいかなくても、誰もが同じ関心や願望を持つ人たちと一緒になって、科学という大きな仕事の一部分を担うことができるのです。

このような行為を通じてその人の貢献が知られるようになると、「より大きな貢献をしよう」というモチベーションにもつながります。そのために、科学のコミュニティの発展はオープンな方式を通じて、多くの人が「科学者とは何をしているのか」を理解するところから始まると思います。

科学技術では解決できない問題に対処するために美意識を養う

民主主義社会で仕事をする上では、見る人に親近感を持ってもらうことです。見る人に嫌悪感や困惑を与えるようなものに対して、誰も参加して討論しようとは思わないからです。誰も参加しない民主主義は、単なる形式上のものにすぎません。一部の専門家が参加するだけでは、実際は誰も親近感を持たず、関心も持たない状況に陥るわけですから。

そういう状況になると、社会的な問題も関心を持たれず、民主主義は事実上、少数の人間が大多数のことを決めるものに変わってしまいます。そのため、民主主義を健全に発展させるためには、「いかにして人が寄り添うものにしていくか」が大きなポイントになります。

これは非常に重要な考え方であると同時に、一種の美的感覚が問われる問題です。様々な問題に積極的に向き合い、自らの価値観や美意識に照らし合わせて、「これは悪くない」「これは素晴らしい」などと実感する経験を繰り返すことで、「世界には自分たちとは異なる状況もある」という認識が生まれてくるからです。無関心であれば、このことに気がつきません。そうした意味で、ある問題に対して「自分がどのような見方をするか」「どのような感想を抱くか」ということは、その人の価値観や美意識が深く関わってきます。

この「仕事と美意識」について、私たちがオープン・ガバメントとして進めているテーマを例にお話ししましょう。

私の執務室がある社会創新実験センターの建物内の倉庫には、中国大陸の故宮から運ばれてきた、様々な精神疾患を抱えていると思われるアーティストの作品が保管されています。私たちはこの場所に、精神疾患から回復し、長期的なリハビリを必要とする人を、ガイドや共同の創作者として招く計画を進めています。

その目的は、彼らにしか見えない角度から作品を見てもらうことです。精神障害には多様なものがありますが、彼らと芸術家の心の領域が重なる部分については、私たちのような一般人には推し量れないものがあります。彼らから、その世界に私たちに案内してもらいたいのです。

「美意識」とは、個人が持つ審美眼だけではありません。自分とはまったく違う人たちとつながる芸術を通じて、自分の視野を広げる方法も含まれています。どんな方法であれ、私は彼らの目線で世界を見てみたいと思っています。芸術作品や芸術空間には、「個人がもともと持っていた世界の見方を変える」効果があります。「こんな見方もあるのか」と思わせてくれることで、世界を見る目を開かせてくれるのです。

こうした美学、美意識の概念を養成するためには、できるだけ多く、アーティストやデザイナーの創作プロセスに参加することが大切になります。そうすれば、作品がどのように創作されたのかがわかり、作家の理念がどこにあるのか、素材をどのように使うのか、作品をどのように発表していくのかを知ることができるのです。だから、たくさんの展覧会へ出かけることよりも——もちろんそれも有益ですが——、作家と一日あるいは二日間一緒に過ごす体験をするほうが、「美しさを創作する力」を感じることができるはずです。

私がこのようなアート的な感覚、あるいはアート教育を重視するのは、既存の可能性にとらわれないようにするためです。アートとは、自分の見た未来のある部分を他の人に見せることで、それにより未来の可能性を開こうとするものです。

仮に、サイエンスとテクノロジーしか学んでいなければ、学んだ内容は誰もが同じになってしまいます。これでは標準的な答えを暗記しているにすぎません。その意味で、サイエンスとテクノロジーのみで社会の構造的な問題を変えようとするのは、極めて難しいのです。

サイエンスとテクノロジーは、「既存のプロセスを最適化する」とか「最適化の速度を上げる」とか「より低コストで実行できるようにする」といった部分には貢献するでしょう。

しかしながら、直面した問題が非常に大きかったり、複雑だったり、たとえば気候変動のような問題に対処する場合に、サイエンスやテクノロジーのような直線的な思考だけで問題を解決することは、不可能です。

そうしたときに、既存の枠から飛び出すことや、創造力を発揮することが非常に重要になります。そんな創造力を培うために、美意識とかアート思考、デザイン思考といったものが重要になってくるのではないか、と実感しています。

さらに、文学的素養も大切です。

私が非常に尊敬するプログラマーの先輩がいます。その人は「プログラムをどれだけ上手に書けるかどうかは、母国語の運用能力がどれだけ優れているかにかかっている」「文才があればあるほど、プログラムがうまく書ける」と断言していました。理想的なプログラムを書き上げるためには、頭の中にある概念を文字に変換していかなければいけません。これは文学と同じです。プログラミングのコードと、文学における韻を踏むことが異なるだけです。

ゲーテは『ファウスト』のような大きな戯曲を書き上げましたが、一つひとつの文章を見れば、長編詩やオペラのように韻が踏まれています。母国語を自在に使いこなせるような人でなければ、『ファウスト』のような大きなプログラムは、書くことができないでしょう。ですから、デジタルの時代になればなるほど、文学的素養は欠かせず、重要性を増すのです。

普遍的価値を見つけるために異なる考え方をする人たちと交わる

自分と似たような経験をしてきている人たち、自分と同じような考え方を持つ人たちのみと交流し、一緒に働くことは、仕事を進める上で一見、理に適っていると思うかもしれません。しかし、結局それは「エコーチェンバー現象」に陥ることになります。つまり、閉じたコミュニティの内部にいて、自分と似たような意見を持った人々の間でコミュニケーションが行われても、結局は同じ意見がどこまでも反復され続けるだけです。

それとは反対に、自分とはまったく異なる文化、異なる世代、異なる場所にいる人の話を聞き続けることで、自ずと「世界共通の普遍的な真実、普遍的な意見というものがある」ことを発見するでしょう。すると、この地球や世界のどの場所にいてもコミュニケーションをすることが可能ということがわかります。

私も世界各地を訪れましたが、「自分たち世代だけが快楽を享受して、次の世代には地球が破壊されてしまっても構わない」とか「地球をぶっ壊してやろう」などという意見は、聞いたことがありません。みな次世代のことを考えています。その意味で、「持続可能な開発目標（ＳＤＧｓ）」は、誰もが納得できる価値観だと思います。

そういった普遍的な価値観が存在する一方で、先の「米台防疫ハッカソン」のときのアメリカ人の意見のように、私には到底受け入れられない考え方も存在します。つまり、救急医療のような私たちが慣れ親しんだものについて、台湾において、また日本でも、先に受け入れた急患から順に治療を施していくものと考えています。しかし、先のアメリカ人は、「今後、社会への貢献度がどれだけ残っているか」を判断基準にするべきだというのです。それが正しいとか間違っているというのではなく、「そうした考え方がある」ということも知っておく必要があります。

たとえ自分は受け入れられないとしても、こうした異なった価値観や考え方があるということを知っておくことが、大事なのです。そういった知識がなければ、どんな考え方でも、それぞれのグループに属する人たちは、自分たちの振る舞いを自然なものだと思い、疑うことをしなくなるからです。それは創造力を閉ざしてしまうことにもつながります。

世界をくまなく旅しなければ、どこの人たちの考え方が不自然で、どこの人は自然であるという意見があるのも、わからないわけではありません。ただし、現在はＡＩが発達し、機械翻訳が実現しつつあるため、インターネットを通じて世界中の友人たちと容易に理解し合うことができるようになっています。そうしたものも利用しながら、自分が行くことが可能な範囲内で旅をし、その中からできる限り自分の文化やこれまでの人生経験とは異なるような友人を見つけ、彼らの話を聞けばいいのだと思います。

私は三つの幼稚園、六つの小学校、一つの中学校で学びました。それらは決して意図したわけではないのですが、毎年のように異なる環境に身を置いていました。その結果、世の中にはいろいろな人がいて、いろいろな意見があることに自然と気づいたのです。それは自分の思考に良い働きをもたらしていると実感しています。

あらゆる問題は人間から起こります。そして、そうした問題を解決に導くために、ＡＩを役立てていくことができる時代になりました。その前提として必要になるのが、「プログラミング思考」「アート思考」「デザイン思考」といったデジタル時代における必須の思考方法であり、さらにそのベースとなるのが「自発性」「相互理解」「共好」という三つの素養なのです。

終章

AUDREY TANG
THE FUTURE OF DIGITAL INNOVATION

日本へのメッセージ

日本と台湾の未来のために

「共同の経験」で結ばれた日本と台湾

本書の最後に、台湾と日本の未来について考えてみたいと思います。

現在の台湾と日本の関係は「共同の経験」によって表現されるかもしれません。以前、日本に行ったとき、大きな台風に遭遇しました。この台風はまず台湾に大きな被害を与えた後、日本へ向かったものでした。一つの台風によって、台湾と日本は同じ経験をしたということになります。同じことが日本の東日本大震災と台湾の921大地震（1999年9月21日に台湾中部で発生した大地震）についても言えるでしょう。原発事故以外は、すべて同じ経験をしています。

だからこそ、台風や地震のような大きな災害が起こったときには、台日双方は支え合いが必要で、それ以上の言葉はいらないように感じます。同じような経験をしてきたからこそ、お互いの関係はこれからも堅固になると思うのです。実際、日本で大地震が起きたとき、台湾は義捐金を送り、台湾で大地震が起きたときは日本が救援に来てくれました。こうした角度から見れば、日本も「親台」と言っていいのではないでしょうか。

東日本大震災が起こるまで、日本では民間団体が政府機関と直接接触する機会が少なかったように思えます。しかし、震災以降は、地方の再建や振興、救済情報のやり取りなどを通じて、民間と官（国）の相互信頼関係が強まったように思います。台湾でも９２１大地震以前は、それぞれの地域振興団体や協会は必ずしも連携がうまくいっていなかったのですが、震災以降は団結しようとする気運が生まれ、お互いの信頼度が高まりました。

仮に相互信頼がなければ融通も利かず、絶対に間違いが起こらないように厳格なルールを用いて行動を制限しなければならなくなります。反対に、お互いをよく知り、家族あるいは兄弟姉妹のような信頼関係になることができれば、多くのルールを作る必要はないでしょう。台湾と日本の関係も「共同の経験」によって、以前よりも強固なものになっているように感じます。

台湾と日本は、アメリカを加えて最近、合同活動を行っています。たとえば、「全球合作訓練框架（グローバル・コーポレーション訓練フレームワーク）」という国際的な研修の枠組みがあります。以前は台湾とアメリカ、そして他の関心ある国のみが参加していましたが、現在は日本が毎回参加するようになって、台日米の関係はよりいっそうはっきりして来ています。

つい先日も、台日米にグアテマラの代表者が加わり、ラテンアメリカの友人たちのために、テクノロジーを駆使して感染症予防のプロセスを短時間で行う方法などについて話し合いました。日本はラテンアメリカに対するアドバイスをする際、この発展途上国を上から目線で誘導するような話し方はしませんでした。彼らの目線に合わせて、具体的な方法を検討し合っていました。

私たちはこのテーマについてある程度のコツを持っているのですが、必ずしも完全に適用できるわけではありません。そのため、ラテンアメリカの実際の状況を聞きながら、一緒に解決策などを考え出すようにしています。

このグローバルな訓練フレームワークの枠組みは、先に述べたように台湾とアメリカの二国間で行っていましたが、現在は台湾・アメリカ・日本が固定メンバーになっていて、国際関係の上では「ミニラテラル（Mini-Lateral）」と呼ばれています。

民間の部分では、台湾と日本の関係はこれからも文化的に互いを支え合いながらより緊密なものになっていくでしょう。国際関係の上では、前記のような特定のテーマでの関係を積み重ねることが極めて重要です。

「感染症予防の方策」「虚偽情報をどう解決するか」「循環型経済について」「海洋ゴミをなくして人が住みやすい場所にしていくこと」などは、私たちに共通する関心事です。これらの具体的なテーマを通して、「ミニラテラルな関係を発展させていきたい」というのが台湾政府の立場です。大事なのは、自分たちのやり方がすべて正しいと考えを押しつけるのではなく、お互いに意見を出し合い、助け合うことです。

　それを前提にして、台湾と日本とのこれからの交流について、私は次のように考えています。一つは、前述したとおり、私たちは地震をはじめ様々な自然災害と隣り合わせで生きているということです。自然に対して絶対に打ち勝つことはできません。自然災害が発生したとき、工学や科学で天候をコントロールすることは不可能で、それが可能であるというようなきれいごとは言いたくありません。

　むしろ人間の力に限界があると知ることにより、私たちが交流する中で、これまで気づいてこなかった多くの良いアイデアが生まれるだけでなく、それらを互いに共有することで、共に発展する関係につながっていくのだと思います。

　台湾と日本の友好のプロセスは、自然災害による助け合いであれ、人災による助け合いであれ、非常に多く厚い基盤があり、今後さらに緊密になっていくでしょう。私たちはともに民主主義社会の前進に挑んでいます。その点でも、団結できることが多々あります。

日本の「RESAS」（地域経済分析システム）から学んだこと

　その一方で、台湾として日本から学ぶものがたくさんあります。たとえば、私たちも使っている「地方創生」の四文字は、日本から持ってきた言葉です。この言葉を台湾で使うようになったのは、都市部の人口過密化や高齢化などの問題に日本が我々よりも早く直面していて、五〜六年前の日本の状態を見れば、一〜二年後の台湾がどうなるかが想定できると考えたからです。

日本では、「高齢者を社会の中に巻き込んでいくためにどうするか」「都市部への人口流出を理由とせずに地方の特色を消失させないためにどうすればいいか」などについて、数多くの実践が行われています。私たちの政府や民間も、日本の地方創生問題を扱う組織と盛んに連携しています。これこそが台湾が「地方創生」という四文字を中国語に翻訳せずに使っている理由です。日本語をそのまま残すことで、日本から学んでいることを明らかにしているのです。

日本には「RESAS（地域経済分析システム、通称リーサス）」というシステムがあります。このシステムは非常に優れていて、私は大いに啓発されました。RESASが優れていると思うのは、案件の提唱者が誰かとか、議員にとってそれを扱うことが有利になるか不利になるかなどには関係なく、エビデンス（証拠）に基づいた政策立案を行っている点です。

もう一つは、「RESAS de 地域探究」のように、具体的な統計データに基づいて、現地の学校がその地方におけるシンクタンクのような役割を担い、探索的な研究を行っていることです。

これらのやり方の面白い点は、それぞれの地方で行われた政策が必ずしも成功しているとは限らないということです。しかし、たとえ失敗したとしても、その試みが人口の還流に役立ったか、雇用率の上昇に役立ったかなど、どんな良い影響や悪い影響を与えたのかを知ることができます。

さらに、成功した場合、「他の地域でどの部分が応用できるか」「どうすれば成功例を別の地域でも再現できるか」を検証することができます。それを試行してみると、ある地域で成功した地方創生の事例が環境の異なる別の地域では失敗したといったようなことも起こりうるわけですが、それもまたデータとして蓄積していくことができます。

こうした各地域で収集した各種の統計資料や、中央政府が集めた資料、省庁が集めた資料、大学が集めた資料など、あらゆる種類の統計を一箇所にまとめておくのがＲＥＳＡＳの仕組みです。これは本当に素晴らしいものだと思います。

台湾にはＲＥＳＡＳをヒントにした「ＴＥＳＡＳ（Taiwan Economic Society Analysis System）」と呼ばれるシステムがありますが、農業などの産業・経済分野とＩＴとの連携面ではとても日本に及びません。台湾のＴＥＳＡＳは、開始当初は政府部門や公的機関のデータ、つまり地方統計のデータを主に使っていました。それは様々な部署の資料から集めたデータですが、民間や学術研究機関の持つデータが明らかに不足しています。

年末までには国家発展委員会から新しいプラットフォームがリリースされる予定ですが、日本からはさらに多くのことを学ぶ必要があります。今後四年間は、地域で収集したデータに地域の特性や地域事業に取り組む人たちの連絡窓口などを加えたいと思っています。これらはもちろん統計資料の中には含まれていないものなので、地方創生に関わる各組織に自発的にデータを加えてもらうことになります。

同様に、地方の文化や経済発展に関心を持つ企業の情報や、その土地出身の創業者が故郷に戻りたいと思っているなどの情報は、ＴＥＳＡＳ上には掲載されていないため、他のプラットフォームに頼るしかありません。こうした部分は日本のＲＥＳＡＳから学ぶべき部分だと考えています。

デジタル化成功の鍵は、デジタルネイティブ世代が握っている

日本で新内閣の発足に伴い、新しく「デジタル庁」を設置すると聞いています。また、政務委員である私と同じような立場で、様々な意見や知恵を集約する役割を担おうとする河野太郎行政改革担当大臣のニュースも見ました。

河野行革担当大臣はさっそく、官僚が各大臣に順番に報告するといった慣例を変えると発言されたようです。それを聞いて、私はとてもうれしく思いました。というのも、私も二〇一六年に入閣したとき、新聞記者が一人ずつ私に電話してきて順番に取材する慣例をやめさせたのです。代わりに、ネット上に「公開メッセージ」の形で所信表明を行いました。おそらくそれと同じような主旨なのでしょう。日本でも似たような手法を採用するようになってきたのかと思いました。

「デジタル庁」設置に関しても、日本ならではの特徴があるのでしょう。僭越ながらひとことアドバイスさせていただくなら、デジタル庁に意見募集のメールボックスを設置してはどうでしょうか。必ず様々なところから意見が上がってくるはずです。政治にあまり興味を持っていなかったような若者も意見を提供してくれるでしょうから、それを大切にしてもらいたいです。とにかく若い人たちが意見を表明したり、政治に参加できる機会を積極的に設けていただきたい。

台湾では十八歳から選挙権を得ることができます。一般的には、選挙権を持っている人たちが「市民」だと考えられます。すると、十五～十六歳の若者は「市民」ではないことになりますが、台湾の若者たちはそんなことはおかまいなしに、十二～十三歳の少年少女たちも自分たちを「市民」だと思っています。これは台湾の若者のいいところです。

民主主義社会は、十八歳や二十歳になってからでないと参加できないものではありません。実際に、六〜七歳の子供たちが「いろんな形の公園で遊ばせてほしい」と両親に主張し、自分の要求を通してもらおうと「還我特色公園行動聯盟（特色ある公園のための行動連盟）」という組織を作っています。この組織の構成員は、公園で遊ぶことを必要としている六〜七歳の子供たちと、その両親です。

公園には「公」の字がついていますが、これは「みんなの場所」であることを示しています。だから、公園についてはすべての人に発言権がありますし、その使い方はみんなで決めることになります。この問題について話すために、我々は子どもが十八歳や二十歳になるまで待つ必要はありません。

こうした主張を積極的にしていくのは、台湾の若者の特徴です。これが当たり前だというわけではありませんが、どのような形でも、政治に関与して自らの意見を表明することは社会を変えることにつながり、彼ら自身の自信にもなるでしょう。

私も含めて戒厳令下で育った、現在三十五歳以上の人たちの中には、国際的なレベルで見て「台湾に自信を持つことができない」という意識を抱いている人も少なくないかもしれません。実際に、「台湾大学に進学して、その後はアメリカへ留学する」という話をよく聞きました。「本当に優秀な人は国外に行くものだ」というような感覚があったのです。

ただ、私たちより年下の若い人たちは、戒厳令時代に抑圧されたという記憶がなく、台湾がアジアの中でもトップクラスの自由を持っていることを知っています。だから、国際社会において「自分の国に自信が持てない」という人が少なく、「台湾を出て、どこか他の国へ留学したほうがいい」という発想もないのです。

今ではインターネットもあるので、台湾で創作したものでも全世界から注目してもらえます。また、タピオカミルクティーや小籠包、台湾ドラマ、ゲームなどのように、台湾から全世界に発信されているものも数多くあります。

日本でも、「社会をより良い方向に変えていくことに関与したい」と考えている若者は少なからずいると思います。私の日本の友人たちの中にも、大きなレベルで「政治を変えたい」という希望を持っている人たちがいます。しかしながら、私の見るところでは、日本では「政治の新しい方向性を導き出すのは若者たちである」ということについて、国民的なコンセンサスが十分に得られていないようです。また、若者の側にも「公益の実現に対して積極的に行動する」という意識がまだ足りないように見えます。

もし、若者が強い組織力を持って行動すれば、台湾で立法院や教育部を占拠して民主化を前進させたように、何かを成し遂げるために自信を持って自分たちの意見を主張し、年長者を立ち止まらせ、考え直させることもできるでしょう。

もちろん日本と台湾では、歩んできた民主主義の歴史が異なるので、日本の若者に同じような行動を求めているわけではありません。ただ、台湾の若者は自らが行動して民主主義を作ってきたことに一種の自信を持っていて、「自分たちの主張は年長者に耳を傾けてもらえる」と思っています。もしも日本の若者が「自分たちには強い組織力がないから年長者を説得することができない」と思い込んでいるのであれば、それは「自分が投票したところでたった一票では何も変わらない」という考え方と何ら変わらないでしょう。

台湾では、どの世代も若い頃には、非民主的な社会の中にいました。そこからだんだん民主的な社会に変化していったのですが、そのために戦ったのが若者だったということをみんなが覚えています。また、今、五十～六十代の人たちは、自分が若かった頃に起こった野百合学生運動が台湾の民主主義を導く原点になったことを覚えているので、今の若者たちがよりよい民主主義を望んで行動しているのを見ると、大切にしてくれるのです。これは、日本と台湾の大きな違いだと思います。

日本では、社会を動かすのは政府の官僚や公務員の仕事だと考えられているのかもしれません。日本の官僚や公務員は、言うまでもなく優秀でしょう。中央省庁で働いている人たちですから、学業に秀でていたのは当然です。ただ、民間で働いている人たちや、まだ選挙権を持つ年齢になっていない十五～十六歳ぐらいの若者たちも、同じように重要なのです。

とくに十五～十六歳の若者たちはデジタルネイティブ世代で、生まれたときからインターネットやデジタルがありました。それに対して、私たちの世代は十歳から二十歳ぐらいの間にそれらに触れたので、デジタルネイティブではなくて〝デジタル移民〟です。そう考えると、こうした分野においては、若い彼らのほうが「先輩」です。〝デジタル先住民〟と言い換えてもいいでしょう。彼らがこれからの時代をリードしていくのは言うまでもないことです。だからこそ、彼らが政治に参加しやすくなるような環境を整えることが重要なのです。

未来は若者たちからやってきます。だから私も、デジタルネイティブのみなさんから学び、未来の方向性を指し示してほしいと願っています。必要とされるエネルギーやサポートを提供するのは私たちですが、未来の方向性を告げて、舵取りをしていくのは若いみなさんです。

日本でも、若者たちがより積極的に社会参加し、誰もが暮らしやすい社会を築いていくことを期待しています。そのプロセスで、台湾の若者たち、あるいは私たちとも一緒に行動できることがたくさんあるに違いありません。私も、近い将来、日本のみなさんと一緒に働く日が来ることを心より楽しみにしています。

おわりに

本書を最後までお読みいただき、ありがとうございました。

幼い頃から父の書斎に入り浸って本に親しんできた私ですが、初の自著となる本書を外国の出版社と、しかも台湾と日本をオンラインで結んで、ディスカッションしながら作っていくという、非常にユニークな体験を得ることができました。

それまで1時間程度の単発のインタビューは毎日のように受けてきましたが、政務委員の仕事をこなす傍ら、およそ3カ月間にわたり延べ20時間以上の取材を受けるという長期プロジェクトは、私にとっても非常に新鮮でエキサイティングなものでした。

台湾と日本には、当然ながら言語の違いがあり、距離的に近いといっても、歩いて行き来できるわけではありません。ましてや、今年は新型コロナウイルスによって、国際間の往来は遮断されており、物理的な移動は不可能です。

そんな状況下で生まれた本書は、まさにデジタル技術が生み出した一冊です。そして、私の話す中国語を正確な日本語に訳してくれたのは、ＡＩではなく、リアルな人間です。本書はリアルとデジタルによるコラボレーションが、国境を越えて現実化した、新しい事例だと言えるでしょう。

今回の新型コロナウイルスは、国際間の人々の往来にとって大きな妨げになりましたが、その一方で世界中の人々のデジタル世界でのコミュニティやネットワークにおける結束がより一層固まるきっかけになったと思います。世界中の「知」のネットワークがさらに広がっていくことを期待します。

最後に、私が好きなカナダのシンガーソングライターで詩人でもある、レナード・コーエンの詞の一節をご紹介して本書を締めくくりたいと思います。

「すべてのものにはヒビがある。そして、そこから光が差し込む。」（「Anthem」より）

もし、あなたが何かの不正義や注目が集まっていないことに対し、怒りや焦りを感じているのなら、それを建設的なエネルギーに変えてみてください。そして、自問自答してください。

「こんな不正義が二度と起こらないために、私は社会に対して何ができるだろうか」と。

この問いを、怒りに対して抱き続けることで、怒りは建設的なエネルギーとなります。そうすれば、誰かを攻撃したり何かを非難したりせずに、前向きな新しい未来の原型を作る道に止まることができます。そして、あなたが見つけたヒビに他の人たちが参加し、そこから光が差し込みます。

この世界は完璧ではありません。欠陥や問題点を見つけ、それに対して真摯に取り組むことこそが、今私たちがここに存在している理由なのです。

2020年11月　台北市内　社会創新実験センター内の執務室にて。

オードリー・タン

オードリー・タン

Audrey Tang／唐鳳

台湾デジタル担当政務委員(閣僚)
1981年台湾台北市生まれ。幼い頃からコンピュータに興味を示し、12歳でPerlを学び始める。15歳で中学校を中退、プログラマーとしてスタートアップ企業数社を設立。19歳のとき、シリコンバレーでソフトウエア会社を起業する。2005年、プログラミング言語「Perl6(現Raku)」開発への貢献で世界から注目。同年、トランスジェンダーであることを公表し、女性への性別移行を開始する(現在は「無性別」)。2014年、米アップルでデジタル顧問に就任、Siriなど高レベルの人工知能プロジェクトに加わる。2016年10月より、蔡英文政権において、35歳の史上最年少で行政院(内閣)に入閣、無任所閣僚の政務委員(デジタル担当)に登用され、部門を超えて行政や政治のデジタル化を主導する役割を担っている。2019年、アメリカの外交専門誌『フォーリン・ポリシー』のグローバル思想家100人に選出。2020年新型コロナウイルス禍においてマスク在庫管理システムを構築、台湾での感染拡大防止に大きな貢献を果たす。

オードリー・タン
デジタルとAIの未来を語る

2020年12月1日　第一刷発行
2021年4月20日　第十刷発行

著　者　オードリー・タン
発行者　長坂嘉昭
発行所　株式会社プレジデント社
〒102-8641 東京都千代田区平河町2-16-1
平河町森タワー 13F
https://www.president.co.jp　https://presidentstore.jp/
電話　編集(03) 3237-3732
販売(03) 3237-3731

編集協力　ランカクリエイティブパートナーズ
翻　訳　早川友久　姚 巧梅
構　成　柏木孝之
撮　影　熊谷俊之
編　集　渡邉 崇　田所陽一
販　売　桂木栄一　高橋 徹　川井田美景　森田 巌　末吉秀樹
装　丁　秦 浩司
図版制作　ZUGA
制　作　関 結香
印刷・製本　凸版印刷株式会社

ISBN978-4-8334-2399-1
Printed in Japan